Brera

Guide complet des œuvres da la Pinacothèque

introduction de
Luisa Arrigoni

SCALA

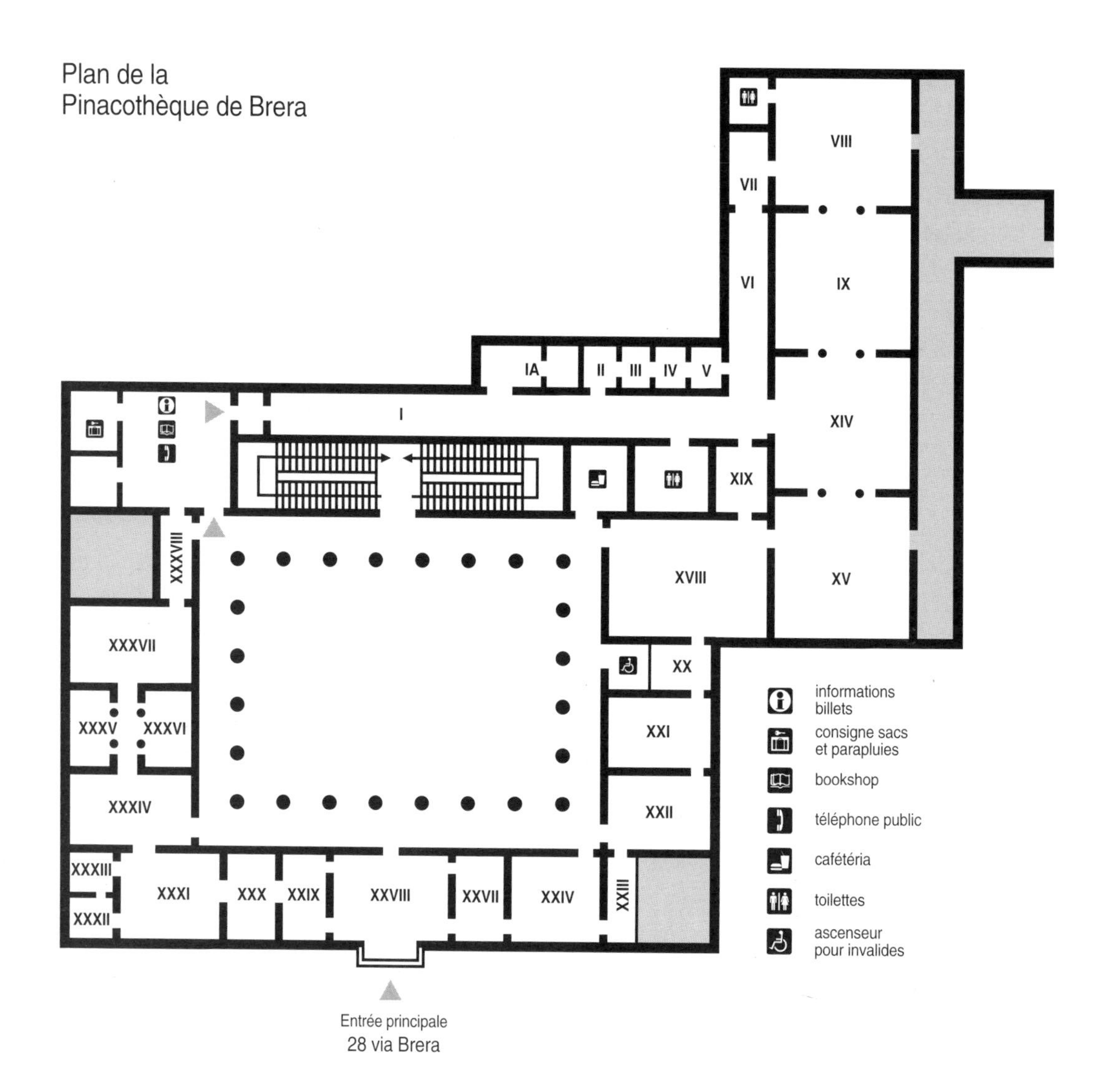

Textes introductifs des salles : Nadia Righi
Catalogue des œuvres exposées : Lorenza Targetti

Les fiches du catalogue correspondent à l'aménagement à la date de mai 1997 et vont dans le sens des aiguilles d'une montre, de gauche à droite à partir de l'entrée de chaque salle.

Introduction

Lorsque l'on approche du palais de Brera en venant de la place de la Scala, la vue que l'on a de l'édifice n'est guère différente de celle que l'on en avait le jour de l'inauguration de la pinacothèque, le 15 août 1809. A cette date, la belle église Santa Maria di Brera, du XIVe, donnant sur la petite place où s'élève le modeste monument de Francesco Hayez, avait déjà été englobée dans ce noble et sévère palais, caractérisé par le contraste entre le rouge sombre du parement de briques et le gris de la pierre des fenêtres, des cimaises et des corniches ; et sa façade gothique à bandes blanches et noires, avec le portail et les sculptures de Giovanni di Balduccio, avait déjà été démolie pour faire place aux quatre salles carrées destinées à accueillir la pinacothèque.
La destruction de cette ancienne façade, une rareté extrême à Milan, causa une grande douleur aux connaisseurs et à l'ensemble du monde de la culture et priva le palais d'un aspect fondamental de son origine.
En effet, avant de devenir le siège de la pinacothèque et de l'Académie des Beaux-Arts, de la Biblioteca Nazionale Braidense, de l'Observatoire Astronomique (à présent seulement Météorologique), de l'Institut Lombard des Sciences et des Lettres et du Jardin botanique, et alors qu'il avait une forme et des dimensions différentes, le palais de Brera fut la maison-mère de l'ordre des Humiliés, une communauté religieuse semi-monastique célèbre pour le travail de la laine et qui produisait du drap apprécié dans tout l'Occident. Le couvent et les manufactures avaient été construits aux confins de la ville médiévale, sur un terrain inculte dit *brayda* (d'où les noms de Brera et de la bibliothèque Braidense) ; ensuite avait été construite l'église, à l'origine fort simple et qui au milieu du XIVe fut refaite en style gothique et enrichie. En 1571, le cardinal Charles Borromée obtint du pape Pie V la suppression de l'ordre, et le monastère passa aux Jésuites afin que ceux-ci y créent des écoles et un collège dignes de la richesse et de l'importance de Milan. C'est ainsi que vit le jour un nouvel édifice inspiré par le Collège Borromée de Pavie et dont la construction dura de 1573 à 1590. En raison de difficultés financières et des problèmes que posait l'achat des terrains limitrophes, nécessaires pour redresser les limites du monastère et construire des salles de forme régulière, les travaux avancèrent lentement et ce n'est qu'en 1627, après que Francesco Maria Richini eût remanié et agrandi le projet original de Martino Bassi, que virent le jour, outre le corps de bâtiment du nouveau monastère, les deux premières écoles "grandes et majestueuses [...] confortables et honorables".
Après la pause forcée de l'épidémie de peste de 1630, les travaux reprirent, et en 1651 le général de l'ordre approuva le projet définitif, disposé autour d'une grande cour rectangulaire, avec deux séries de galeries d'arcades à motif de *serliana* (où les colonnes soutiennent une partie de l'entablement sur lequel s'élève l'arc), reliées par un escalier monumental. A la mort de Richini en 1658, la construction passa sous le contrôle de son fils Gian Domenico et des architectes Gerolamo Quadrio et Giorgio Rossone, fort actifs à Milan au cours de ces années. Pendant près d'un siècle, les travaux se poursuivirent conformément au projet d'origine, et l'édifice prit l'aspect noble et austère typique de l'architecture baroque lombarde.
Lorsqu'en 1773 la Compagnie de Jésus fut dissoute dans le sillage de la vague anticléricale qui en Europe accompagna le développement de la juridiction d'état, le Collège de Brera, avec son tout récent et prestigieux Observatoire Astronomique, son Jardin de plantes officinales et toute la bibliothèque des Jésuites, redevint la propriété de l'état et Marie-Thérèse d'Autriche, qui depuis des années mettait en œuvre à Milan un plan général de réforme des institutions d'enseignement, en reçut avec satisfaction les édifices et les revenus ; aussitôt elle chargea Giuseppe Piermarini, architecte et inspecteur général des constructions publiques de Lombardie, de projeter et de poursuivre les travaux du palais. En 1776, les institutions furent intégrées par la fondation de l'Académie des Beaux-Arts et de la Société Patriotique, qui devait ensuite devenir l'Institut Lombard des Sciences et des Lettres, et la bibliothèque se développa. En 1785 l'étage supérieur de la façade était enfin achevé et, ayant écarté l'hypothèse d'une entrée principale à côté de l'église Santa Maria di Brera, Piermarini réalisa sur la via Brera un monumental portail néoclassique en arc reposant sur des colonnes, surmonté d'un solide balcon.
C'est avec la naissance de l'Académie et surtout lorsqu'en 1778 fut nommé comme secrétaire le Bolonais Carlo Bianconi, spécialiste d'anatomie et collectionneur, ami de Francesco Algarotti et élève d'Ercole Lelli, que commença à se constituer à Brera un premier groupe de gravures, de dessins, de plâtres, de moulages et de quelques tableaux, matériel d'enseignement destiné aux élèves. On a souvent voulu voir le point

de départ de la Pinacothèque de Brera dans ces premières collections académiques, qui en 1799 s'enrichirent de toiles de Pierre Subleyras, Pompeo Batoni, Giuseppe Bottani, Filippo Abbiati, Carlo Francesco Nuvolone et Stefano Legnani provenant de l'église Santi Cosma e Damiano alla Scala, démolie ; mais ce n'est en réalité qu'en 1800-1801, avec l'agrandissement de la République Cisalpine et la nomination au poste de secrétaire de Giuseppe Bossi, peintre, homme de lettres, spécialiste d'art, collectionneur, ami de Canova et d'Angelica Kauffmann, que commença l'histoire de la pinacothèque.

Aux côtés de Bossi on trouve dès 1802 Andrea Appiani, peintre lui aussi et portraitiste officiel de Napoléon, ami d'hommes de lettres et d'hommes politiques et commissaire des Beaux-Arts aussi puissant qu'actif. Bossi se consacra au programme de renouvellement de l'enseignement académique, qui déboucha en 1803 sur de nouveaux et modernes statuts dans lesquels la pinacothèque était pour la première fois mentionnée comme une institution fondamentale pour les études académiques, et eut une intense activité de promotion culturelle dont le résultat fut l'inauguration solennelle de la première exposition publique, avec la distribution des récompenses aux travaux présentés aux concours de cette année et la publication d'un guide imprimé décrivant le parcours des salles du premier étage (ce guide constitue désormais un précieux instrument de connaissance des changements effectués dans ce court laps de temps). Pendant ce temps, Appiani, en sa qualité de commissaire aux réquisitions, s'occupait de faire venir des tableaux des différents départements constituant d'abord la République Cisalpine puis le Royaume d'Italie, se livrant constamment à des voyages de reconnaissance après lesquels il rédigeait les inventaires des œuvres intéressantes, les-

La cour du palais de Brera.

quelles lui étaient alors envoyées. En 1807, après que Bossi eût quitté son poste de secrétaire de l'Académie, Appiani devint conservateur de la future pinacothèque et donna une impulsion décisive à la politique culturelle de la période napoléonienne, se consacrant avec talent à son activité de collectionneur public.

En 1805, l'année où Napoléon fut couronné roi d'Italie, un décret du 2 août émanant du Ministère de l'Intérieur prévoyait que toutes les œuvres réquisitionnées devaient être rassemblées dans l'Académie des Beaux-Arts de Milan et subdivisées en trois catégories : celles des artistes les plus célèbres seraient exposées dans la pinacothèque, celles de moindre intérêt seraient échangées contre d'autres, celles de peu de valeur laissées aux églises peu décorées qui en auraient fait la demande.

C'est ainsi que des dizaines et des dizaines d'œuvres commencèrent à affluer depuis les églises et les couvents sécularisés de Lombardie, auxquelles vinrent s'ajouter les centaines de tableaux provenant des différents départements du royaume, notamment de Vénétie où Pietro Edwards fit d'excellentes sélections, mais aussi des anciennes possessions papales.

La directive de Napoléon qui, conformément aux principes idéologiques de la Révolution française, préconisait la formation de grandes galeries nationales comme instrument d'éducation, siège de la mémoire et de la grandeur d'une nation et lieu de conservation et de défense du patrimoine culturel, se matérialisa à Brera, devenue un monument vivant du prestige civil de son pouvoir politique. C'est ainsi que se constitua presque d'un seul coup, en quelques années seulement, une des principales collections d'art d'Italie, digne de rivaliser avec les Offices et les collections du Vatican. Face à un tel afflux d'œuvres, pour la plupart des retables de grandes dimensions qui donnèrent au musée une solennité imposante, l'espace commença bien vite à manquer et en 1808, pour faire de la place et réorganiser les collections, l'église Santa Maria di Brera fut partagée en deux étages à la hauteur des nefs latérales d'après un projet de Pietro Gilardoni, architecte du Ministère de l'Intérieur, de manière à avoir au rez-de-chaussée un grand espace destiné au Musée des Antiquités Lombardes et au premier étage, pour la pinacothèque, quatre vastes salles à colonnes, éclairées par des fenêtres et des lanternons au centre des voûtes. C'étaient les "salles napoléoniennes", le nom qu'aujourd'hui encore on leur donne, la clef de voûte du musée, qui sont restées telles quelles jusqu'à maintenant ; elles furent inaugurées le 15 août 1809, jour de l'anniversaire de Napoléon. Comme cela a été récemment documenté, 139 tableaux étaient exposés dans trois des salles (la quatrième n'était pas terminée), parmi lesquels les *Épisodes de la vie de la Vierge* et la *Prédication de saint Étienne* de Carpaccio, le *Christ au jardin des Oliviers* de Véronèse, la *Cène* de Daniele Crespi, le *Retable de saint Augustin* de Girolamo Genga, l'*Assomption* de Moretto, la *Vierge grecque* de Giovanni Bellini, le *Saint Jérôme* de Titien, la *Crucifixion* de Bramantino, le *Retable Sforza* du dénommé Maître du retable Sforza et le telero de Gentile et Giovanni Bellini représentant la *Prédication de saint Marc à Alexandrie d'Égypte*, pour n'en citer que quelques-uns.

Les spoliations ne cessèrent cependant pas, et jusqu'en 1813 on assiste à un accroissement impressionnant du patrimoine de Brera ; à la fin de cette année, comme l'indique l'"Inventaire napoléonien" (dans lequel à partir de 1808 furent inscrits en ordre chronologique tous les tableaux qui arrivaient à Brera), la pinacothèque comptait 889 œuvres : peintures sur bois, toiles et fresques détachées. Elles n'étaient pas toutes le fruit de réquisitions et de suppressions ; en effet, le caractère hautement représentatif du musée favorisait déjà

Vues de la salle XIV et, à côté, de la salle XXXV.

les donations et les acquisitions. En 1804, Francesco Melzi fit don du *Triptyque de sainte Hélène* de Palma l'Ancien (qu'alors on croyait de la main de Lorenzo Lotto), et en 1806 Eugène de Beauharnais, pour souligner l'importance que le gouvernement français attachait à la galerie naissante, acheta pour Brera certaines œuvres de la collection Sannazzari, laissée en héritage à l'Ospedale Maggiore de Milan, parmi lesquelles le *Mariage de la Vierge* de Raphaël et la *Vierge à l'Enfant* de Giovanni Bellini (1510). Pendant ces mêmes années, Bossi rassemblait de nombreux portraits et autoportraits d'artistes, en grande partie lombards, qu'il allait chercher un peu partout, convaincu qu'une telle collection plairait au public et favoriserait l'étude de l'art lombard, jusque-là quelque peu négligé. En 1811, Appiani obligea quant à lui l'archevêché de Milan à céder 23 œuvres de la collection constituée au XVIIe par le cardinal Cesare Monti, offrant en échange un nombre égal d'œuvres provenant de Brera ; cette même année fut traitée l'acquisition d'une partie de la célèbre galerie Sampieri de Bologne, et la *Pietà* de Giovanni Bellini, de la même collection, fut donnée à la pinacothèque par Eugène de Beauharnais, qui l'année suivante y ajouta six tableaux dont deux splendides Mattia Preti et la *Samaritaine au puits* de Morazzone. A la suite d'un accord avec le Louvre, des œuvres de Carpaccio, Moretto, Marco d'Oggiono et Boltraffio furent échangées contre des tableaux de Rembrandt, Rubens, Van Dyck et Jordaens.

Une partie des tableaux qui affluèrent à Brera ne fut cependant pas exposée. Par manque de place, beaucoup d'œuvres de moindre qualité restèrent dans les dépôts à la disposition des églises pauvres en décorations, en général des églises de périphérie récemment construites.

Les grandes migrations depuis tout le royaume vers Milan furent suivies d'une fuite d'œuvres, et ce fut le début de la "Brera dispersée" à propos de laquelle on a tant écrit, de Giulio Carotti à la fin du XIXe à Angela Ottino della Chiesa dans les années 1960, jusqu'aux recherches actuelles qui ont attiré l'attention des spécialistes et du public sur cette histoire très particulière.

A la chute de Napoléon, la croissance du musée connut un ralentissement à la Restauration mais elle ne s'interrompit pas. La pinacothèque et l'académie, dont le musée faisait partie, étaient désormais des institutions établies, bien organisées, qui faisaient l'orgueil de la ville et constituaient une telle attraction qu'elles ne pouvaient rester en butte aux épurations.

C'est ainsi qu'au cours du XIXe siècle les collections s'agrandirent grâce à des legs aussi imposants que celui de la galerie de tableaux de Pietro Oggioni, en 1855 ; à des dons aussi mémorables que celui des trois rares et splendides portraits de Lorenzo Lotto, que fit Victor-Emmanuel II peu après son entrée dans Milan avec Napoléon III ; et à des acquisitions dont *Le Christ mort* de Mantegna (1824), la *Madone de la Roseraie* de Luini (1825), le *Martyre de sainte Catherine* de

Gaudenzio Ferrari (1829), les *Vues de la Gazzada* de Bernardo Bellotto (1831). Pendant ce temps, le musée continuait à jouer son rôle d'institution vouée à la conservation du patrimoine artistique. Toutes les fresques détachées qui arrivèrent à Brera au cours du siècle (la pinacothèque possède une des plus vastes collections existantes du genre) sont plus le fruit d'une activité de conservation que celui de vols. En 1859, la grande statue de bronze de Napoléon par Canova, fondue à Rome en 1812, trouva enfin place dans la cour d'honneur.

En 1882, la pinacothèque se sépara de l'Académie des Beaux-Arts. Cette dernière garda une grande partie des tableaux contemporains, à savoir ceux qui avaient participé aux concours et aux récompenses académiques au XIXe siècle, tandis que la pinacothèque, confiée à une direction autonome et ouverte au public avec l'institution d'une taxe d'entrée à consacrer aux achats, prit la plupart des œuvres anciennes. Pendant les seize années qui suivirent, sous la direction de Giuseppe Bertini, un personnage éclectique, peintre, auteur de vitraux, restaurateur, antiquaire dilettante, homme de culture, qui pouvait compter sur deux remarquables conseillers, le célèbre historien Giovanni Morelli et le restaurateur Luigi Cavenaghi, la galerie, réaménagée et agrandie, accrut encore son patrimoine. Dans ses salles arrivèrent le *Triptyque* de Butinone, *Les Amants* de Paris Bordon, le *Portrait du comte Antonio di Porcia* de Titien, le *Saint Pierre et saint Jean-Baptiste* de Francesco del Cossa, le *Portrait d'Andrea Doria* de Bronzino ainsi qu'un nouveau groupe d'œuvres, encore mieux sélectionné, de la collection du cardinal Cesare Monti en provenance de l'archevêché de Milan. On entreprit la reconnaissance des tableaux laissés en concession à des églises, et des chefs-d'œuvre comme la monumentale *Découverte du corps de saint Marc* du Tintoret furent rapportés à Brera.

Dans les années à cheval entre le XIXe et le XXe siècle la pinacothèque, sous la direction de Corrado Ricci, fit à nouveau l'objet d'un réaménagement et d'un agrandissement, qui lui donnèrent à peu près l'aspect que nous lui voyons aujourd'hui. Le parcours des salles autour de la cour d'honneur fut achevé, le long couloir d'accès les relia aux salles napoléoniennes, presque toutes les fenêtres furent murées pour augmenter l'espace d'exposition et de nouveaux lanternons furent percés afin d'apporter aux salles un éclairage zénithal depuis le haut.

C'est Ricci qui acquit les fresques de Bramante représentant les *Hommes d'armes* et les petites peintures sur bois de la prédelle du *Polyptyque de Valle Romita* de Gentile da Fabriano, qui ainsi fut enfin reconstitué ; mais on lui doit surtout la première histoire, restée inégalée, de la pinacothèque.

Sa ligne fut suivie par Ettore Modigliani, directeur de 1908 à 1947 (il fut suspendu de sa charge de 1934 à 1945 pour des motifs raciaux), qui continua la politique d'acquisitions de ses prédécesseurs, réussissant à être encore plus présent qu'eux. Pendant la pause de la Première Guerre mondiale (à cette occasion les ta-

bleaux furent mis à l'abri à Rome), le musée réouvrit en partie seulement, à savoir quatre salles, selon le choix fort controversé de Giovanni Papini et, entre 1920 et 1924, Modigliani réorganisa radicalement les collections, allégeant le secteur de la peinture du XIXe, qui fut exposée selon des critères sélectifs. On lui doit l'acquisition de nombreuses œuvres vénitiennes telles que *L'Arracheur de dents* et *Le Concert en famille* de Pietro Longhi (1911), la *Vierge à l'Enfant* de Jacopo Bellini (1913), la spectaculaire *Vierge du Carmel* de Giovan Battista Tiepolo (1925), retrouvée dans des circonstances aventureuses en 1910, les deux *Vues du Grand Canal* de Canaletto (1928), et bien d'autres œuvres qui modifièrent substantiellement le secteur de la peinture vénitienne, dominé par des tableaux de grand format à sujets religieux. C'est également lui qui compléta le *Polyptyque delle Grazie* de Vincenzo Foppa, dont il acheta la prédelle (1912), et qui fit plusieurs acquisitions avec l'argent que rapporta l'exposition de la peinture italienne à Londres en 1930. Ses initiatives éveillèrent l'intérêt des mécènes milanais qui en 1926 constituèrent l'Association des Amis de Brera et des musées milanais, la première du genre en Italie ; elle s'est distinguée par l'aide apportée à la pinacothèque, y compris par des dons allant du *Repas d'Emmaüs* du Caravage à *La Tonnelle* de Silvestro Lega, aux *Pâturages au printemps* de Segantini, au *Christ Juge* de Giovanni da Milano, et tant d'autres.
Pendant la Seconde Guerre mondiale, les tableaux de la pinacothèque furent à nouveau mis à l'abri, et les salles dégarnies purent accueillir des expositions organisées par le Centre d'Action pour l'Art contemporain voulu par Giuseppe Bottai. En partie détruit par les bombardements alliés en 1943, le musée fut reconstruit entre 1947 et 1950 sous la direction de Fernanda Wittgens, aidée par Gian Alberto dell'Acqua, et il fut solennellement inauguré en 1950, devenant le symbole de la volonté de renouveau et de reconstruction qui caractérisèrent l'Italie de l'après-guerre. L'aménagement de 1950, dû à l'architecte Piero Portaluppi, à l'enseigne de la majesté et de la grandeur avec les marbres antiques envoyés par l'Opificio delle Pietre Dure de Florence, s'opposait, dans une aile latérale, à côté des salles napoléoniennes, au goût moderne des petites salles élégantes et intimes, pleines de lumière, créées par Franco Albini.
Dans les années cinquante et soixante, les collections s'enrichirent d'une succession ininterrompue de dons, auxquels n'étaient pas étrangères les activités de promotion culturelle de l'Association des Amis de Brera ; le musée reçut entre autres l'*Extase de saint François* de Morazzone, *Saint Alexis* et *Saint Julien* de Bonifacio Bembo, l'*Autoportrait* d'Umberto Boccioni, la *Résurrection* de Cariani, les *Épisodes de la vie de sainte Colombe* de Baronzio, le *Couronnement de la Vierge* de Nicolò di Pietro et les deux *Petits porteurs* de Giacomo Ceruti.
A partir des années 1970, le musée commença à avoir des problèmes. En 1974, le manque de manutention des structures construites après la guerre, ainsi que le manque de personnel et de place, amenèrent une très grave crise que signala Franco Russoli, directeur à partir de 1973. Le musée fut fermé et seules les œuvres les plus célèbres restèrent visibles dans les dernières salles, en une exposition au nom significatif de "Per Brera" (pour Brera), qui se voulait une dénonciation des maux qui affligeaient la pinacothèque.
Depuis lors Russoli s'occupa du projet de la "Grande Brera", qui prévoit d'affecter au palais Citterio, un édifice du XVIIIe acheté en 1972, presque attenant au palais de Brera, toutes les structures et les services qui ne pouvaient trouver place dans l'ancienne maison-mère de l'ordre des Humiliés, à savoir les activités didactiques (y compris les salles de conférences et de projections), l'accueil et l'orientation du public, la cafétéria et la librairie, sans oublier les laboratoires, les salles d'expositions et celles des collections permanentes d'art moderne récemment constituées. En effet, en 1976, Brera, jusque-là axée sur l'art ancien, s'est ouverte à l'art contemporain grâce à la donation d'Emilio et Maria Jesi, qui amena plus de cinquante œuvres choisies (auxquelles seize autres s'adjoignirent en 1984) d'artistes italiens du début du XXe siècle, de Boccioni à Carrà, Modigliani, Morandi, Sironi, De Pisis, Scipione, Mafai, Marino Marini, Arturo Martini ; un autre couple de collectionneurs milanais, Riccardo et Magda Jucker, a placé en dépôt une série de tableaux futuristes d'une importance fondamentale (en 1993, parmi maintes adversités, la collection Jucker a été achetée par le Musée municipal d'Art contemporain de Milan).
La disparition de Russoli en 1977 laissa le projet à l'état d'embryon. Sous la direction de Carlo Bertelli, le musée fut réouvert, agrandi par l'acquisition d'une nouvelle aile correspondant à l'habitation au XVIIIe de l'astronome de l'ancien Observatoire, donnant sur le Jardin botanique ; ce fut une époque d'innovation sur plusieurs fronts, bien que les interventions ne furent pas toujours bien coordonnées au niveau des temps de réalisation et des objectifs. La Soprintendenza per i Beni Ambientali e Architettonici ou direction générale de l'environnement et de l'architecture, responsable des travaux de restauration du palais, intervint dans le couloir d'accès aux salles napoléoniennes et dans la salle XXII, où les plafonds furent reconstruits et les fenêtres à nouveau percées dans une tentative de rendre aux salles l'aspect qu'elles avaient du temps des Jésuites. Les petites salles réalisées par Piero

La galerie où est exposée la donation Jesi.

Portaluppi pour accueillir les chefs-d'œuvre de Bramante, de Piero della Francesca et de Raphaël furent réunies en un seul grand espace à plafond plat, conçu par Vittorio Gregotti et Antonio Citterio ; en même temps, l'ordonnancement des collections fut modifié par des initiatives extrêmement intéressantes mais de courte durée : par exemple, le Cabinet des Portraits de peintres de Giuseppe Bossi fut reconstitué, quoique partiellement ; dans l'appartement de l'astronome furent placés les polyptyques des Marches datant du XVe, avec les tableaux vénitiens de petit format du même siècle ; et, peu après, les collections Jesi et Jucker furent exposées dans un aménagement aussi sobre qu'élégant d'Ignazio Gardella.

A partir de 1989, alors qu'une grande partie du musée avait été fermée, que les œuvres avaient été décrochées en raison de problèmes aux installations de chauffage et d'éclairage et que la conception du palais Citterio, où les travaux entrepris par Russoli étaient restés inachevés, avait été confiée à James Stirling, a commencé une complexe intervention de rationalisation et de modernisation des installations technologiques, du chauffage aux systèmes d'illumination, d'antivol et anti-incendie. Celle-ci a été confiée à Vittorio Gregotti, lequel a étudié un plan de réaménagement fonctionnel dont les premiers résultats sont visibles dans les salles napoléoniennes, dans la série de petites pièces où sont exposés les dénommés fonds d'or et la peinture vénitienne des XVe-XVIe siècles, jusqu'à la salle qui abrite les polyptyques des Marches.

Luisa Arrigoni
directeur de la
Pinacothèque de Brera

La chapelle de Mocchirolo

Au début du parcours de la visite de la pinacothèque, dans une petite salle, a été reconstituée la chapelle de l'oratoire Porro à Mocchirolo, avec les fresques qui en ont été détachées.
Cette donation revêt une importance particulière car elle documente une période de grande vitalité de l'art lombard, par ailleurs peu représenté dans la galerie de Brera.
L'auteur anonyme du cycle de Mocchirolo trahit des analogies stylistiques avec les fresques d'autres oratoires lombards de la seconde moitié du XIVe comme Solaro, Albizzate et Lentate. Et ce dernier, tout comme la chapelle de Mocchirolo, fut semble-t-il commandité par la noble famille des comtes Porro.
La grande qualité des peintures trahit une personnalité artistique de premier plan, proche du style raffiné de Giovanni da Milano.

Art de Giovanni da Milano
(seconde moitié du XIVe siècle)
Chapelle Sainte Catherine et Saint Ambroise
Mur du fond, 378x277 cm:
Crucifixion
Mur de droite, 323x217 cm:
Le comte Porro et les membres de sa famille offrant à la Vierge la maquette de l'église
Mur de gauche, 323x217 cm:
Saint Ambroise en chaire flagelle deux hérétiques ; Mariage mystique de sainte Catherine
Voûte, 323x323 cm:
Le Rédempteur parmi les symboles des Évangélistes
Arc de triomphe, 106x61 cm (chacun): *Saint chevalier* et *Le Christ ressuscité bénissant*
Fresques reportées sur toile, autrefois dans la chapelle des comtes Porro à Mocchirolo di Lentate, province de Milan.

Art de Giovanni da Milano, *Saint Ambroise en chaire flagelle deux hérétiques.*

Page ci-contre : la chapelle de Mocchirolo.

Salle II

Dans cette salle sont exposés plusieurs "fonds d'or", des peintures sur bois d'artistes actifs au XIVe.
Le *Polyptyque de Santa Maria della Celestia*, de Lorenzo Veneziano - dont le style fut certainement influencé par ses contacts avec la peinture émilienne et surtout par la connaissance de l'œuvre de Guariento -, présente nombre des caractéristiques les plus typiques de l'artiste. Le peintre se base encore sur des critères principalement décoratifs, comme on peut le voir tant dans la structure que dans l'ornementation du trône de la Vierge - où abondent statuettes et ajours - , dans les mouvements gracieux des anges, dans les positions et les drapés des saints des côtés et, enfin, dans la richesse des étoffes de leurs vêtements.
D'Ambrogio Lorenzetti, un artiste extrêmement raffiné qui fut l'un des principaux représentants de l'école siennoise de la première moitié du XIVe, nous pouvons admirer ici la *Vierge à l'Enfant*, à la datation encore incertaine. Selon certains elle remonterait à un moment plutôt précoce de l'activité de l'artiste, selon d'autres elle serait datable du faîte de sa maturité artistique (1340), immédiatement après les fresques du Palais public de Sienne.
L'école florentine est quant à elle représentée par Bernardo Daddi, un suiveur de Giotto, dont la Pinacothèque de Brera possède un *Saint Laurent*. Il s'agit de toute évidence de l'un des compartiments latéraux d'un polyptyque à présent démembré.
De Giovanni da Milano, un artiste surtout actif en Toscane mais originaire de Lombardie, nous voyons ici un *Christ Juge* significatif de l'art de ce maître, qui allie des éléments de dérivation lombarde à l'influence du Giotto florentin. Enfin, signalons des acquisitions de grand intérêt, trois petites peintures sur bois représentant des *Épisodes de la vie de sainte Colombe*, données à la pinacothèque en 1960. Jusqu'ici attribuées à un artiste anonyme, dit Maître de sainte Colombe, elles l'ont récemment été à Giovanni Baronzio, un représentant de l'école de Rimini dont elles rappellent la vivacité de narration et de couleurs.

Maître de Saint Véran
(Pise, actif entre 1270 et 1275 env.)
Saint Véran entre deux anges et six épisodes de sa légende
Détrempe sur bois, 152x97 cm

Giovanni Baronzio
(Rimini, documenté de 1343 à 1345)
Sainte Colombe devant l'empereur Aurélien
Sainte Colombe sauvée par un ours
La décapitation de sainte Colombe
Détrempe sur bois, 53x55 cm (chacune)
Compartiments de devant d'autel. Don d'Anna Sessa (1960).

Barnaba da Modena
(actif entre 1361 et 1383)
Adoration de l'Enfant
Détrempe sur bois, 57x50 cm
Don de Casimiro Sipriot (1904).

Maître du Crucifix de Pesaro
(actif à Venise dans le dernier quart du XIVe siècle)
Vierge à l'Enfant et L'Annonciation
Détrempe sur bois, 68x51 cm
A Brera depuis 1808, cette œuvre provient de la direction générale des biens de la Couronne.

Ambrogio Lorenzetti
(Sienne 1280 env. - 1348?)
Vierge à l'Enfant
Détrempe sur bois, 85x57 cm
Don de Guido Cagnola (1947).

Giovanni da Milano
(Caversaccio, Côme, 1320 env. - 1369)
Le Christ Juge
Détrempe sur bois, 152x68 cm
Panneau central du polyptyque de Santa Maria degli Angeli à Florence.

Bernardo Daddi
(Florence 1290 env. - 1348?)
Saint Laurent
Détrempe sur bois, 43x24 cm
Don de Casimiro Sipriot (1904).

Bartolomeo et Jacopino da Reggio
(actifs dans le troisième quart du XIVe siècle)
Crucifixion, Annonciation et trente saints
Détrempe sur bois, 92x67 cm (en tout)
Polyptyque-reliquaire.
A Brera depuis 1889, legs de Luciano d'Aragona.

Lorenzo Veneziano
(Venise, documenté de 1356 à 1372)
Polyptyque de Santa Maria della Celestia
Détrempe sur bois
Panneau central, 72x29 cm: *Vierge à l'Enfant en trône et anges*
Panneaux latéraux, 31x13 cm (chacun):
inférieur gauche: *Sainte Catherine d'Alexandrie et saint Nicolas*
inférieur droit: *Saint Marc et sainte Lucie*
supérieur gauche: *Saint Antoine abbé et saint Jean-Baptiste*
supérieur droit: *Saint André et saint Victor*
Provenant du monastère de Santa Maria della Celestia à Venise, ce polyptyque fut placé en dépôt à Brera en 1950 depuis les Galeries de l'Académie de Venise en échange du *Couronnement de la Vierge* de Paolo Veneziano. Le style pleinement gothique de l'artiste se retrouve dans l'architecture du trône, dans le fond doré sur lequel se détachent les saints aux gestes gracieux et aux vêtements richement ornés.

Giovanni da Milano, *Le Christ Juge.*

Ambrogio Lorenzetti, *Vierge à l'Enfant.*

Giovanni Baronzio, *Sainte Colombe sauvée par un ours*, détail.

Page ci-contre, en haut : Lorenzo Veneziano, *Polyptyque de Santa Maria della Celestia.*

Page ci-contre, en bas : Giovanni Baronzio, *Sainte Colombe sauvée par un ours* et *La décapitation de sainte Colombe*.

Salles III et IV

Les artistes italiens actifs à la fin du XIVe ou au XVe sont représentés par une série de peintures sur bois exposées dans ces deux salles contiguës.
La petite *Adoration des Mages* de Stefano da Verona (salle IV), un protagoniste du courant dit gothique international, est fort élégante. Le goût pour les éléments fastueux et décoratifs l'emporte sur le sentiment religieux, et les détails des vêtements et des ornementations sont minutieusement rendus. L'on trouve en outre dans cette œuvre des notes exotiques comme le chameau à l'arrière-plan ou la figure du maure : et cette recherche iconographique va de pair avec une technique extrêmement raffinée, comme l'atteste l'utilisation pleine d'élégance de l'or en pastillage.
Un autre artiste de premier plan du gothique international est Gentile da Fabriano, dont on peut voir dans cette salle le célèbre *Polyptyque de Valle Romita*, l'une des plus belles réalisations de cet artiste originaire des Marches. Ses œuvres sont caractérisées par le faste des costumes, la linéarité des contours et des drapés, ainsi que par des personnages aux silhouettes élégantes, représentés debout sur des prés fleuris, selon les canons du gothique international.
La phase avancée du parcours stylistique de Jacopo Bellini, peintre vénitien considéré comme le dernier représentant de la tradition gothique locale, actif désormais en plein XVe siècle, est illustrée ici par la petite *Vierge à l'Enfant* (salle III), une œuvre dans laquelle l'artiste semble avoir désormais abandonné les caractères gothiques typiques des réalisations de sa jeunesse au profit d'une acquisition progressive du rendu des volumes et des formes.
Au cours de ces mêmes années était actif le peintre et miniaturiste lombard Bonifacio Bembo, le dernier représentant de la tradition de la fin de l'époque gothique en Lombardie. Son œuvre, dont les *Saint Alexis* et *Saint Julien* de la salle IV constituent d'excellents témoignages, se distingue par des formes délicates et aristocratiques et des personnages vêtus avec raffinement.
La peinture toscane, qui à Brera est documentée de façon discontinue, est représentée dans la salle III par un polyptyque d'école siennoise dû à Andrea di Bartolo et Giorgio di Andrea, dans lequel on retrouve l'influence de la grande peinture de Duccio di Buoninsegna et de Simone Martini.

Salle III

Paolo di Giovanni Fei (?)
(Sienne 1346-1411/12)
Vierge à l'Enfant
Détrempe sur bois,
62,5x35 cm

Pedro Serra
(Catalogne, documenté vers 1357-1408)
Annonciation
Détrempe sur bois, 59x39 cm

Jacopo Bellini
(Venise 1400 env. - 1470/71)
Vierge à l'Enfant
Détrempe sur bois, 45x50 cm
A Brera depuis 1913, elle provient de l'église de la Visitation à Riviera di Casalfiumanese (Imola).

Giovanni da Bologna
(actif à Trévise de 1377 à 1385 et à Venise en 1389)
Vierge à l'Enfant et anges (Madone de l'Humilité)
Détrempe sur bois, 91x61 cm
Achetée en 1910.

Nicolò di Pietro
(Venise, actif de 1394 à 1430)
Couronnement de la Vierge et donateurs
Détrempe sur bois, 100x54 cm
Don des Amis de Brera (1963).

Andrea di Bartolo
(Sienne 1360/65-1428)
et **Giorgio di Andrea**
(documenté de 1410 à 1428)
Couronnement de la Vierge avec sainte Catherine d'Alexandrie, saint Augustin, saint Pierre et saint Paul
Peinture à l'huile sur bois, 160x65 cm (panneau central), 142x36 (chacun des panneaux latéraux)
A Brera depuis 1811, cette œuvre provient du couvent Santa Caterina d'Alessandria à Sant'Angelo in Vado près d'Urbino.
Ce polyptyque, autrefois doté d'un fastueux encadrement dont il ne reste à présent que quelques traces, comptait probablement sept panneaux ; les deux qui manquent se trouvent à Urbino dans la Galerie nationale des Marches et représentent *Saint Michel archange* et *Saint Jean-Baptiste*. Il fut exécuté par Andrea di Bartolo, aidé de son fils Giorgio.

Andrea di Bartolo
Le Rédempteur bénissant
Détrempe sur bois, 73x31 cm
A Brera depuis 1811, cette œuvre provient du couvent Santa Caterina d'Alessandria à Sant'Angelo in Vado près d'Urbino.

Salle IV

Atelier des Zavattari
(Monza, vers 1440/44)
Assomption de la Vierge
Détrempe sur bois, 100x72,5 cm
Don des héritiers de Paolo Gerli (1982).

Bonifacio Bembo
(Brescia 1420 env. - documenté jusqu'en 1477)

Nicolò di Pietro, *Couronnement de la Vierge et donateurs.*

Andrea di Bartolo et Giorgio di Andrea, *Couronnement de la Vierge avec des saints.*

Saint Julien
Saint Alexis
Détrempe sur bois, 85x28 cm (chacune)
Don de Paolo Gerli (1950).

Stefano da Verona
(Vérone 1375 env. - documenté jusqu'en 1438)
Le voyage et l'adoration des Mages
Détrempe sur bois, 72x47 cm
Cédée en 1818 par Domenico Biasioli en échange de deux œuvres.

Gentile da Fabriano
(Fabriano 1370 env. - Rome 1427)
Crucifixion
Détrempe sur bois, 64x40,5 cm
Achetée en 1995.

Gentile da Fabriano
Polyptyque de Valle Romita
Détrempe sur bois
Panneau central, 157x80 cm : *Le Couronnement de la Vierge*
Panneaux inférieurs, 117x40 cm (chacun): *Saint Jérôme, saint François, saint Dominique et sainte Marie-Madeleine*
Panneaux supérieurs, 49x38 cm (chacun): *Le supplice de saint Pierre martyr, Saint Jean-Baptiste dans le désert, Saint François recevant les stigmates, Franciscain*
Signée.
Provenant de l'église Santa Maria di Valdisasso, près de Fabriano, démembré puis reconstruit. Avec l'*Adoration des Mages* de la Galerie des Offices de Florence, ce polyptyque compte parmi les meilleures réalisations de cet artiste.

Francesco di Gentile da Fabriano
(Fabriano, actif dans la seconde moitié du XVe siècle)
Assomption de la Vierge
Saint Sébastien entre saint Antoine abbé et saint Dominique
Détrempe sur bois, 90x50 cm
Ces peintures sur bois étaient à l'origine les deux faces d'un étendard de procession.
A Brera depuis 1855, legs de Pietro Oggioni.

Gentile da Fabriano, *Polyptyque de Valle Romita* et, page ci-contre, le compartiment central avant la récente reconstitution.

En bas à gauche : Bonifacio Bembo, *Saint Julien*.

En bas à droite : Gentile da Fabriano, *Crucifixion*.

Stefano da Verona, *Le voyage et l'adoration des Mages.*

Salles V et VI

Les deux salles suivantes contiennent des tableaux représentatifs des plus importants maîtres actifs en Vénétie dans les dernières décennies du XVe siècle et les premières décennies du XVIe. Dans la salle V, outre plusieurs œuvres attribuées à Cima da Conegliano ou à son atelier et un polyptyque à fond d'or exécuté en collaboration par Giovanni d'Alemagna et Antonio Vivarini, on peut voir trois compartiments de prédelle de Lazzaro Bastiani représentant des *Épisodes de la vie de saint Jérôme*. Bastiani, une personnalité de second plan dans le monde artistique de la lagune, ne manque pas d'une certaine vivacité de narration qui a incité la critique à le rapprocher de Carpaccio.
Dans la salle VI, outre le splendide *Saint Sébastien* de Liberale da Verona, un artiste célèbre surtout pour ses miniatures, en particulier celles des livres choraux de la cathédrale de Sienne, se trouvent trois toiles de Vittore Carpaccio, un peintre qui fut surtout actif à Venise. Les deux toiles représentant des *Épisodes de la vie de la Vierge* sont datables de la première décennie du XVIe et attestent la tendance de cet artiste à recréer l'environnement selon une représentation objective, mais aussi sa grande habileté narrative. De Giovanni Bellini, dit Giambellino, la pinacothèque possède un groupe restreint mais significatif d'œuvres, dont la plus célèbre est certainement la *Pietà*, un des chefs-d'œuvre de jeunesse de cet artiste. Ce tableau est savamment construit, avec des équilibres qui se brisent et se recomposent. La *Vierge à l'Enfant*, datée 1510, est quant à elle typique de la phase avancée de l'activité du peintre, qui tend désormais à fondre de manière harmonieuse la figure et l'arrière-plan.
Andrea Mantegna, l'un des plus importants chefs de file de la peinture de l'Italie septentrionale dans la seconde moitié du XVe, est représenté par l'important *Polyptyque de saint Luc*, dans lequel les critiques ont pu reconnaître, en particulier dans le compartiment supérieur représentant la *Pietà*, l'influence directe des sculptures de Donatello à Padoue, sans nul doute un point de référence constant de la production de l'artiste. Cette œuvre présente des analogies avec les fresques, à présent perdues, que Mantegna peignit pour la chapelle Ovetari à Padoue (1451) ; mais par rapport à celles-ci elle atteste cependant une plus grande maîtrise de la perspective. Non loin de là est exposé le *Christ mort*, une des œuvres les plus célèbres de Mantegna, dans laquelle une utilisation pleine de virtuosité des éléments de la perspective n'enlève rien à l'intensité dramatique et au réalisme de la composition. La phase avancée de l'évolution stylistique de l'artiste padouan est également illustrée par la *Vierge à l'Enfant et un chœur de chérubins*, datable du milieu des années 1480.

Salle V

Lazzaro Bastiani
(Venise 1425 env. - 1512)
Saint Jérôme dans le désert
Saint Jérôme amenant le lion au couvent
La mort de saint Jérôme
Détrempe sur bois, 25x152 (en tout)
Prédelle du retable d'autel représentant *Saint Jérôme*. Le compartiment principal se trouve encore dans la cathédrale d'Asolo, où ce retable se trouvait autrefois.

Giovan Battista Cima da Conegliano
(Conegliano 1459/60-1517/18)
Saint Luc, la Vierge, saint Jean-Baptiste et saint Marc
Sainte Monique, saint Jérôme, saint Nicolas et sainte Ursule
Détrempe sur bois 30x25 cm (chacune)
A Brera depuis 1809, elles proviennent de l'église San Giorgio Maggiore à Venise.

Girolamo da Santa Croce
(Bergame?, actif à partir de 1503 - Venise 1556)
Saint Étienne
Peinture à l'huile sur bois, 40x35 cm

Maestro Giorgio
(Venise, actif au milieu du XVe siècle)
Saint Marc
Détrempe sur bois, 60x51 cm
A Brera depuis 1811, cette œuvre provient du Palais des Doges à Venise.

Girolamo da Treviso l'Ancien
(Trévise 1451-1497)
Le Christ mort soutenu par deux anges
Peinture à l'huile sur bois, 67x63 cm
Achetée en 1889.

Pedro Berruguete
(Paredes de Nava, 1450/55 - Avila 1504 env.)
Christ de Pitié
Peinture à l'huile sur bois, 71x62 cm
A Brera depuis 1808.

Giovanni d'Alemagna
(Venise, documenté à partir de 1437 - Padoue 1450)
et **Antonio Vivarini** (Murano 1418/20 env. - Venise 1476/84)
Polyptyque de Praglia
Peinture à l'huile sur bois
Panneau central inférieur, 67x33 cm : *Vierge à l'Enfant*
Panneau central supérieur, 47x33 cm : *Pietà*
Panneaux latéraux inférieurs, 62x22 cm (chacun) : *Saint Augustin, saint Benoît, saint Jean-Baptiste, saint Jérôme, saint Romuald (ou Bernard) et saint Prosdocime*
Panneaux latéraux supérieurs, 42x22 cm (chacun): *Sainte Scholastique, saint Grégoire, saint Pierre, saint Paul, saint Ambroise et sainte Justine*
A Brera depuis 1811, il provient de l'abbaye bénédictine de Santa Maria di Praglia (Padoue).

Giovan Battista Cima da Conegliano
Sainte Justine
Saint Grégoire et saint Augustin
Détrempe sur bois, 76x89 cm et 76x20 cm
A Brera depuis 1811, ces peintures sur bois proviennent de l'église Santa Giustina à Padoue.

Salle VI

Giovanni Martini da Udine
(Udine 1470 env. - 1535)
Sainte Ursule parmi les vierges
Peinture à l'huile sur toile, 185x220 cm
A Brera depuis 1811, elle provient de l'église San Pietro Martire à Udine.

Giovanni d'Alemagna et Antonio Vivarini, *Polyptyque de Praglia.*

Page ci-contre : Lazzaro Bastiani, *Saint Jérôme amenant le lion au couvent, Saint Jérôme dans le désert* et *La mort de saint Jérôme.*

Vittore Carpaccio
(Venise 1455 env. - avant 1526)
Mariage de la Vierge
Présentation de la Vierge au temple
Peinture à l'huile sur toile, 130x140 cm et 130x137 cm
A Brera depuis 1808, ces œuvres proviennent de la Scuola degli Albanesi à Venise. Elles faisaient partie d'un cycle de six tableaux de Carpaccio qui comprenait, outre les toiles de Brera, la *Naissance de la Vierge*, l'*Annonciation*, la *Visitation* et la *Mort de Marie*, à présent dispersées dans différents musées et collections. Les deux tableaux de Brera présentent des compositions spéculaires et foisonnent de citations érudites et symboliques, comme par exemple le lapin blanc de la *Présentation au temple*, qui symbolise la fécondité sans péché de Marie.

Vittore Carpaccio
Dispute de saint Étienne
Peinture à l'huile sur toile, 147x172 cm
Signée et datée 1514.
A Brera depuis 1808, cette œuvre provient de la Scuola di Santo Stefano à Venise, dont la confrérie avait chargé Carpaccio de représenter en cinq tableaux la vie du saint. De ces toiles, une a été perdue et les autres sont réparties entre différents musées.

Bartolomeo Montagna
(Orzinuovi, Brescia, 1450 env. - Vicence 1523)
Saint Jérôme
Peinture à l'huile sur bois, 51x58 cm
Achetée en 1925.

Giovan Battista Cima da Conegliano
(Conegliano 1459/60-1517/18)
Saint Jérôme
Peinture à l'huile sur bois, 37x30 cm
A Brera depuis 1809, provenant de San Giorgio Maggiore à Venise.

Giovan Battista Cima da Conegliano
Saint Pierre en trône avec saint Jean-Baptiste et saint Paul
Peinture à l'huile sur bois reportée sur toile, 156x146 cm
A Brera depuis 1811, provenant du monastère de Santa Maria Mater Domini à Conegliano.

Francesco Bissolo
(Trévise? 1470/72 - Venise 1554)
Saint Étienne avec saint Augustin et saint Nicolas de Tolentino
Peinture à l'huile sur bois, 115x58 cm (panneau central); 115x43 cm (chacun des panneaux latéraux)
A Brera depuis 1808, cette œuvre provient de la Scuola di Santo Stefano à Venise.

Andrea Previtali
(Berbenno, Bergame, 1470 - Bergame 1528)
Transfiguration (Le Rédempteur)
Peinture à l'huile sur bois, 147,5x137,7 cm
A Brera depuis 1811, elle provient de l'église Santa Maria delle Grazie à Bergame.

Giovanni Bellini
(Venise 1425/30-1516)
Vierge à l'Enfant
Peinture à l'huile sur bois, 85x115 cm
Achetée en 1806 à l'Ospedale Maggiore. Autrefois dans le palais Monti à Bologne.

Andrea Mantegna
(Isola di Carturo, Padoue, 1430 env. - Mantoue 1506)
Polyptyque de saint Luc
Détrempe sur bois
Panneau central, 140x67 cm : *Saint Luc*
Panneau central supérieur, largeur 68 cm: *Christ de Pitié entre la Vierge et saint Jean*
Panneaux latéraux supérieurs, 69x40 cm (chacun) *Saint Daniel de Padoue, saint Jérôme, saint Maxime évêque et saint Julien*
Panneaux latéraux inférieurs, 118x42 cm (chacun): *Sainte Félicité, saint Prosdocime, saint Benoît et sainte Justine*

Giovanni Bellini
Pietà
Détrempe sur bois, 86x107 cm
Don d'Eugène de Beauharnais (1811). Autrefois dans la galerie Sampieri à Bologne.

Andrea Mantegna
Vierge à l'Enfant et un chœur de chérubins
Détrempe sur bois, 88x70 cm
A Brera depuis 1808, provenant de Santa Maria Maggiore à Venise.

Andrea Mantegna
Le Christ mort
Détrempe sur toile, 68x81 cm
A Brera depuis 1824, provenant des héritiers du peintre Giuseppe Bossi.
Il est difficile de reconstituer l'histoire de cette toile, achetée à Rome par Giuseppe Bossi. On sait qu'à la mort de Mantegna (1506) son fils Ludovico, pour payer ses dettes, proposa de vendre le tableau au marquis François de Gonzague ; mais c'est Sigismond de Gonzague qui l'acheta en 1507. Il se trouvait encore dans le Palais ducal en 1627. Après la dispersion de la collection des Gonzague et le sac de Mantoue en 1630, on en perdit toute trace jusqu'en 1802, date à laquelle il réapparut sur le marché des antiquités. Après maintes controverses, sa datation est actuellement fixée dans les années 1470-1474.

Giovanni Bellini
Vierge à l'Enfant ("*Vierge grecque*")
Détrempe sur bois, 84x62 cm
A Brera depuis 1808. Ce chef-d'œuvre de la production de jeunesse de Vierges de l'artiste est arrivé à Brera depuis l'Ufficio dei Regolatori della Scrittura dans le Palais des Doges de Venise. En haut, sur les côtés, on voit une inscription en lettres grecques, "Mère de Dieu et Christ".

Liberale da Verona
(Vérone 1445 env. - 1529/36)
Saint Sébastien
Peinture à l'huile sur bois, 198x95 cm
A Brera depuis 1811, provenant de l'église San Domenico à Ancône.

Vittore Carpaccio, *Présentation de la Vierge au temple.*

En bas : Vittore Carpaccio, *Mariage de la Vierge.*

Vittore Carpaccio,
Dispute de saint Étienne.

En bas : Bartolomeo
Montagna, *Saint Jérôme.*

VICTOR
RPATHIVS
PINXIT
M
D.XIIII

Andrea Mantegna, *Vierge à l'Enfant et un chœur de chérubins.*

En bas : Andrea Mantegna, *Le Christ mort.*

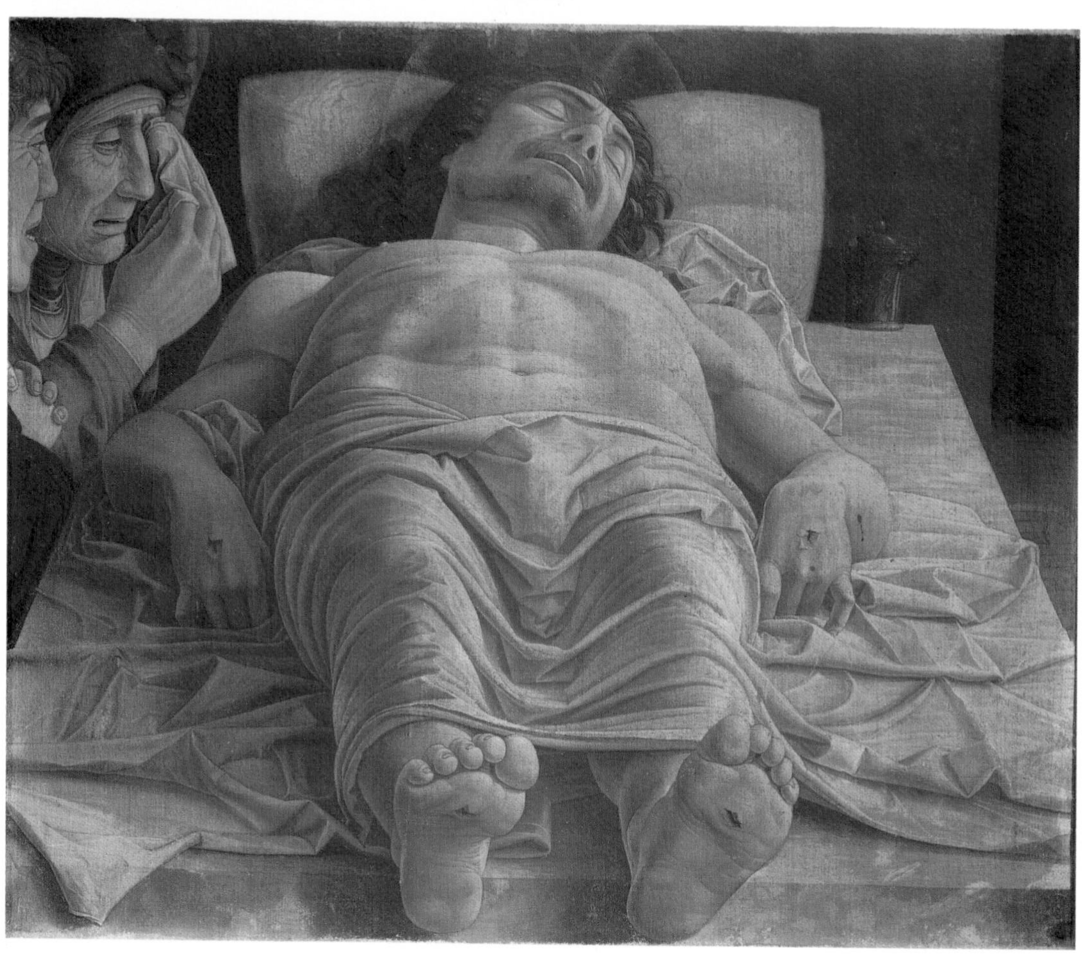

Giovanni Bellini, *Vierge à l'Enfant* ("*Vierge grecque*").
En bas : Giovanni Bellini, *Pietà*.

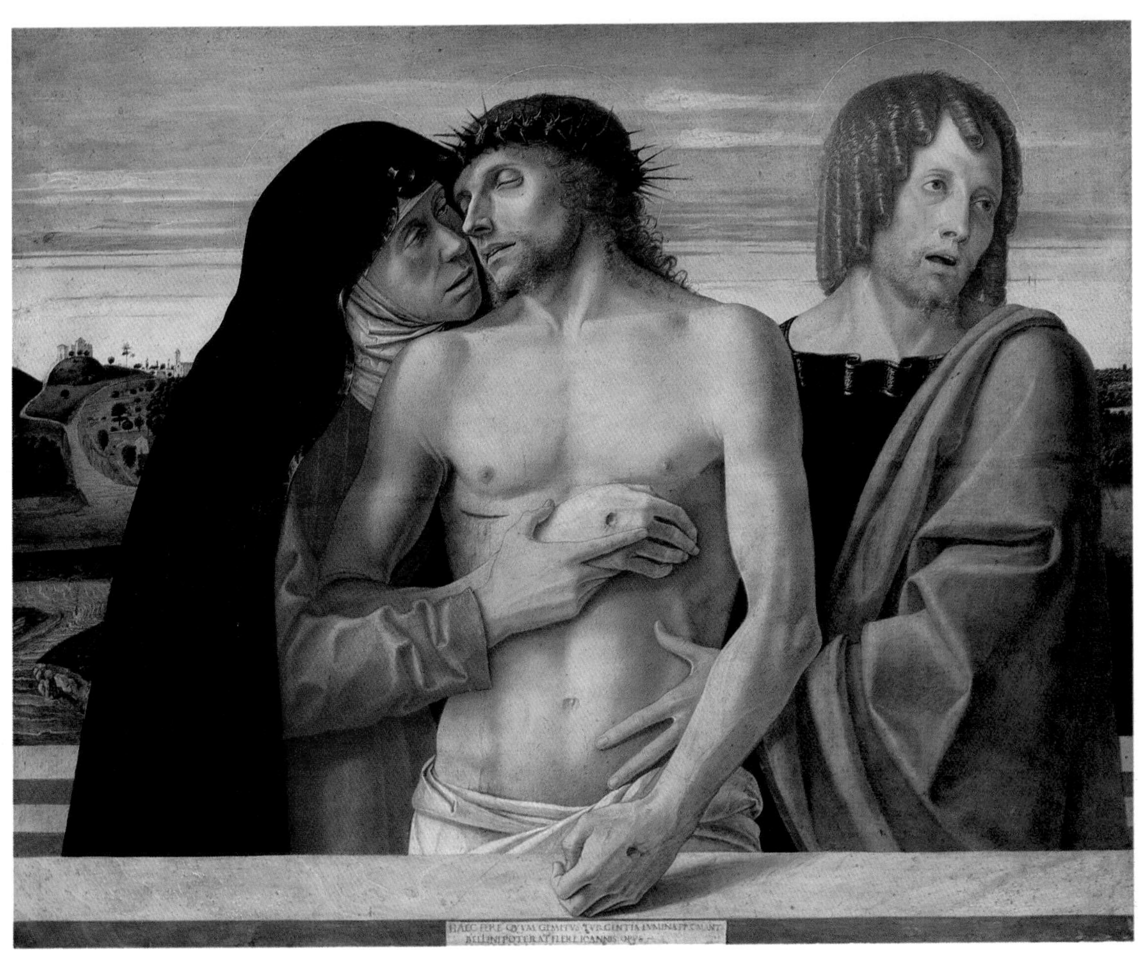

Giovanni Bellini, *Vierge à l'Enfant.*
Andrea Previtali, *Transfiguration.*

Andrea Mantegna,
Polyptyque de saint Luc.

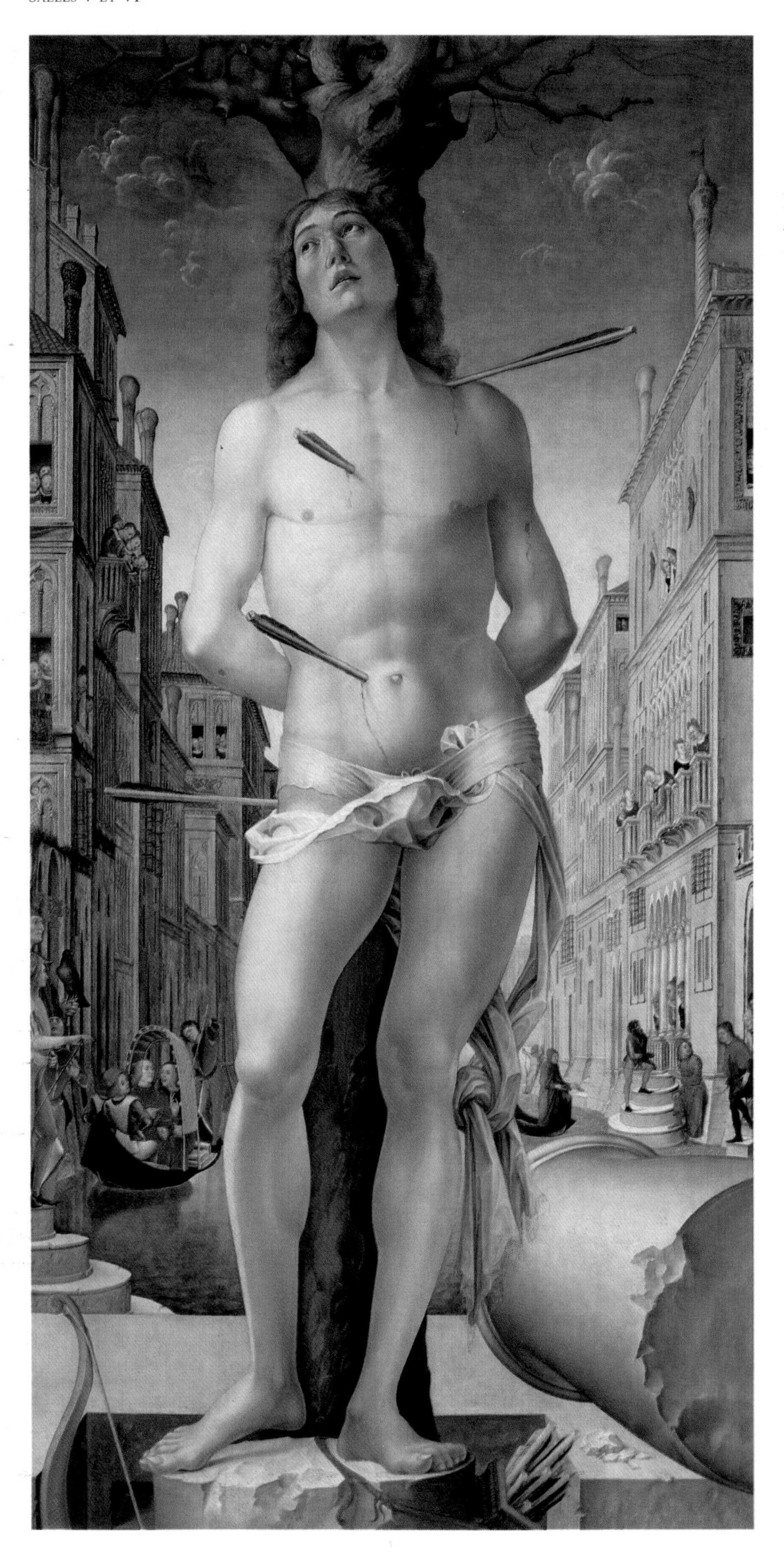

Liberale da Verona,
Saint Sébastien.

Giovan Battista Cima da Conegliano, *Saint Pierre en trône avec saint Jean-Baptiste et saint Paul.*

SALLE VII

Parmi les nombreux portraits d'artistes vénitiens du XVIe réunis dans cette salle, on remarquera le *Portrait du comte Antonio di Porcia* par Titien, une œuvre d'un grand naturalisme ; au fond de l'espace créé par l'artiste, une fenêtre ouvre sur un vaste paysage. On retrouve fréquemment cet expédient dans les portraits peints par l'artiste à partir de la deuxième décennie du XVIe, comme par exemple dans le *Baldassarre Castiglione* de la National Gallery de Londres (1523).
La production de portraits de Lorenzo Lotto, un artiste inquiet et un grand voyageur dans l'œuvre duquel confluent de multiples sources d'inspiration, est représentée ici par le *Portrait d'un vieux gentilhomme portant des gants (Liberale da Pinedel)*. Ce tableau, considéré comme l'un des plus intenses du peintre, révèle une attention infinie pour la nature en même temps qu'une grande habileté de pénétration psychologique. De Lotto on trouve en outre ici deux portraits se faisant pendant, un cas unique dans sa production : il s'agit du *Portrait de Laura da Pola* et de celui de *Febo da Brescia*, tous deux signés et datables des années 1540. Il s'agit d'œuvres fort intéressantes tant par l'attention apportée au caractère des deux personnages que par la description des splendides vêtements témoignant de la mode vénitienne de l'époque. Paris Bordone nous offre en revanche avec ses *Amants* une interprétation moins réaliste, plus chargée d'allusions, caractérisée par un choix de couleurs influencé par Giorgione.
La production du Bergamasque Giovanni Battista Moroni, un portraitiste célèbre, est représentée ici par l'intense *Antonio Navagero*, caractéristique de ce que l'on a appelé la "manière rouge" de cet artiste en raison de la prédominance de tons rougeâtres.
Une œuvre hautement expressive, en dépit de la raideur de la pose conventionnelle, est le *Portrait de jeune homme* du Tintoret, proche du *Portrait de vieillard et de jeune garçon* du Kunsthistorisches Museum de Vienne et donc datable des années 1560. D'un point de vue plus strictement iconographique, l'*Autoportrait* de Palma le Jeune est fort intéressant : l'artiste a choisi de se représenter non seulement avec les instruments de son métier mais aussi en train de peindre un tableau à thème religieux.

Giovanni Busi, dit Cariani
(Venise 1485 env. - 1550 env.)
Portrait d'homme
Peinture à l'huile sur toile, 71x57 cm
Achetée en 1929 à la collection du comte Sottocasa de Bergame.

Francesco Torbido, dit il Moro
(Venise 1480/90 - Vérone 1561 env.)
Portrait d'homme
Peinture à l'huile sur toile, 72x56 cm
Signée. Achetée en 1888 à l'antiquaire Chiodelli de Crémone.

Tiziano Vecellio, Titien
(Pieve di Cadore 1485/90 - Venise 1576)
Portrait du comte Antonio di Porcia
Peinture à l'huile sur toile, 115x90 cm
Signée. Don d'Eugenia Litta Visconti Arese (1891).

Lorenzo Lotto
(Venise 1480 env. - Lorette 1556)
Portrait d'homme
Peinture à l'huile sur toile, 115x98 cm
Signée. A Brera depuis 1855, legs de Pietro Oggioni.

Lorenzo Lotto
Portrait d'un vieux gentilhomme portant des gants (Liberale da Pinedel)
Peinture à l'huile sur toile, 90x75 cm
Signée. Achetée en 1859 en même temps que les portraits de *Laura da Pola* et *Febo da Brescia* à l'antiquaire milanais Giuseppe Baslini.

Lorenzo Lotto
Portrait de Laura da Pola
Peinture à l'huile sur toile, 90x75 cm
Signée. Achetée en 1859.
Cette toile et son pendant représentant *Febo da Brescia* suivent la tendance de l'époque à célébrer le lien du mariage. Dans le livre des paiements de Lotto on peut lire qu'entre septembre 1543 et mars 1544 48 écus d'or lui furent payés pour les deux tableaux, la seule paire existant encore.

Paris Bordon
(Trévise 1500 env. - Venise 1571)
Les Amants
Peinture à l'huile sur toile, 80,5x86 cm
Achetée en 1890 à la famille Prinetti de Milan.

Lorenzo Lotto
Portrait de Febo da Brescia
Peinture à l'huile sur toile, 82x78 cm
Signée. A Brera depuis 1859.

Giovanni Battista Moroni
(Albino, Bergame, 1520/24-1578)
Portrait d'Antonio Navagero
Peinture à l'huile sur toile, 115x90 cm
Datée. A Brera depuis 1813.

Giovanni Battista Moroni
Portrait de jeune homme
Peinture à l'huile sur toile, 56x49 cm
A Brera depuis 1862.

Jacopo Negretti, dit Palma le Jeune
(Venise 1544-1628)
Tête de vieillard (recto) et *Tête de petite fille* (verso)
Peinture à l'huile sur carton, 38x28 cm
A Brera depuis 1811, provenant de l'archevêché de Milan (legs du cardinal Monti).

Jacopo Robusti, dit le Tintoret
(Venise 1518-1594)
Portrait de jeune homme
Peinture à l'huile sur toile, 115x85 cm
A Brera depuis 1857.

Palma le Jeune
Autoportrait
Peinture à l'huile sur toile, 126x96 cm
A Brera depuis 1811.

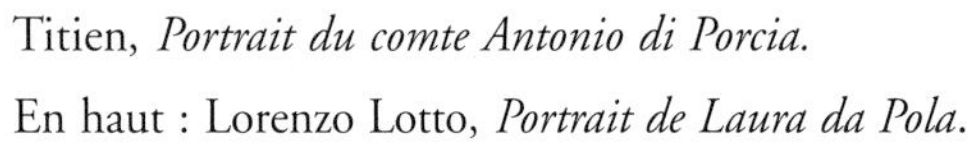

Titien, *Portrait du comte Antonio di Porcia.*

En haut : Lorenzo Lotto, *Portrait de Laura da Pola.*

Lorenzo Lotto, *Portrait de Liberale da Pinedel.*

En haut : Lorenzo Lotto, *Portrait de Febo da Brescia.*

Paris Bordon, *Les Amants.*

Palma le Jeune, *Autoportrait*.

Salle VIII

Dans cette salle trône le grand *telero* représentant la *Prédication de saint Marc à Alexandrie d'Égypte*, peint par Giovanni et Gentile Bellini pour la Scuola Grande di San Marco à Venise. Malgré les doutes qui subsistent quant aux parties attribuables à l'un ou l'autre de ces artistes, la critique tend de nos jours à voir la main de Gentile dans la disposition générale de la composition et celle de Giovanni, qui acheva l'œuvre à la mort de son frère, dans les personnages et les architectures qui ont conféré à l'œuvre un caractère plus "moderne". L'*Assomption de la Vierge* est une des œuvres les plus significatives des débuts d'Alvise Vivarini, considéré comme un des premiers suiveurs d'Antonello da Messina à Venise.
Dans cette salle, on peut en outre voir deux œuvres significatives de Bartolomeo Montagna, dont la pinacothèque possède aussi un beau *Saint Jérôme* ; en particulier, la grande toile représentant la *Vierge à l'Enfant en trône avec saint André, sainte Monique, sainte Ursule et saint Sigismond*, à la perspective solide, dans laquelle l'artiste mêle des références à la peinture vénitienne de sa formation à des éléments qui attestent sa connaissance de la sculpture lombarde. Cima da Conegliano, un peintre actif en Vénétie entre la fin du XVe et le début du XVIe, est présent avec deux retables, une *Vierge à l'Enfant en trône avec des saints et des membres d'une confrérie* et *Saint Pierre martyr, saint Nicolas et saint Benoît*. Ce dernier, considéré comme l'une des plus belles œuvres du peintre, présente un équilibre parfait entre les personnages, le paysage situé derrière et l'architecture, et trahit l'influence de l'art de Giorgione dans la gamme de couleurs riches et chaudes.
Mentionnons enfin la *Crucifixion* de Michele da Verona (1501), un artiste peu connu qui semble nous avoir laissé son œuvre meilleure avec cette grande toile peinte pour le monastère de San Giorgio in Braida à Vérone.

Michele da Verona
(Vérone 1470 env. - 1536/44)
Crucifixion
Peinture à l'huile sur toile, 335x720 cm
Signée et datée 1501.

Giovan Battista Cima da Conegliano
(Conegliano 1459/60-1517/18)
Saint Pierre martyr avec saint Nicolas et saint Benoît
Peinture à l'huile sur bois reportée sur toile, 330x216 cm
A Brera depuis 1811.
Cette grande peinture sur bois, une des œuvres les plus importantes de Cima da Conegliano, provient du couvent du Corpus Domini à Venise, où elle fut commissionnée par le marchand d'épices Benedetto Carlone comme retable d'autel pour sa propre chapelle funéraire. Peinte entre 1505 et 1506.

Gentile Bellini
(Venise 1429-1507)
et **Giovanni Bellini**
(Venise 1425/30-1516)
La prédication de saint Marc à Alexandrie d'Égypte
Peinture à l'huile sur toile, 347x770 cm
A Brera depuis 1809.
Commanditée en 1504 à Gentile par la Scuola Grande di San Marco, l'œuvre n'était pas encore terminée à sa mort en 1507. Le frère de l'artiste, Giovanni, l'acheva conformément aux dispositions testamentaires de Gentile.

Giovan Battista Cima da Conegliano
Vierge à l'Enfant en trône avec saint Sébastien, saint Jean-Baptiste, sainte Marie-Madeleine et saint Roch et les membres de la confrérie à genoux
Détrempe sur bois reportée sur toile, 301x211 cm
A Brera depuis 1811, provenant de la Scuola di San Giovanni Battista à Oderzo.

Giovanni Mansueti
(Venise 1465/70 env. - 1526/7)
Saint Marc baptisant saint Aignan
Peinture à l'huile sur toile, 335x135 cm
Signée. A Brera depuis 1808, cette œuvre provient de la Scuola Grande di San Marco à Venise.

Alvise Vivarini
(Venise 1450 env. - 1505)
Assomption de la Vierge
Détrempe mixte sur bois, 225x114 cm
A Brera depuis 1811, provenant de l'église de l'Incoronata à Martinengo (Brescia).

Marcello Fogolino
(Vicence 1475 env. - Trente? après 1548)
Vierge à l'Enfant en trône avec saint Job et saint Gothard
Peinture à l'huile sur bois, 203x160 cm

Francesco Bonsignori
(Vérone 1460 env. - Caldiero, Vérone, 1519)
Saint Ludovic et saint Bernardin (ou saint François?) tenant le monogramme du Christ
Peinture à l'huile sur toile, 110x170 cm
A Brera depuis 1811, provenant de l'église San Francesco à Mantoue.

Jacopo Negretti, dit Palma l'Ancien
(Serina, Bergame, 1480 env. - Venise 1528)
Constantin et sainte Hélène entre saint Sébastien et saint Roch
Peinture à l'huile sur bois, 163x84 cm (panneau central), 143x61 cm (chaque panneau latéral)
Don de Francesco Melzi (1804).

Bartolomeo Montagna
(Orzinuovi, Brescia, 1450 env. - Vicence 1523)
Vierge à l'Enfant en trône entre saint François et saint Bernardin
Peinture sur bois, 215x166 cm
A Brera depuis 1812, provenant de l'église San Biagio à Vicence.

Bartolomeo Montagna
Vierge à l'Enfant en trône, saint André, sainte Monique, sainte Ursule, saint Sigismond et des anges musiciens
Peinture à l'huile sur toile, 410x260 cm
A Brera depuis 1811, provenant de la chapelle Squarzi dans l'église San Michele à Vicence.

Andrea Mantegna
(Isola di Carturo, Padoue, 1430 env. - Mantoue 1506)
et collaborateurs
Saint Bernardin de Sienne et des anges
Détrempe sur toile, 385x220 cm
Datée 1469. A Brera depuis 1811, provenant de la chapelle de Saint Bernardin dans l'église San Francesco à Mantoue.

Francesco Morone
(Vérone 1471 env. - 1529)
Vierge à l'Enfant en trône entre saint Zeno et saint Nicolas
Détrempe sur toile, 192x125 cm
Signée, date illisible (1503?).
A Brera depuis 1811, provenant de l'église San Giacomo alla Pigna à Vérone.

Giovan Battista Cima da Conegliano, *Saint Pierre martyr avec saint Nicolas et saint Benoît.*

D·G·I·
P·N·
HIERO IVMVS DE SQVARTYS. XVI. KAI
MAY. ANNO. CIƆIƆCCXV

Page ci-contre : Bartolomeo Montagna, *Vierge à l'Enfant en trône, saints et des anges musiciens.*

Michele da Verona, *Crucifixion.*

En haut : Gentile et Giovanni Bellini, *La prédication de saint Marc à Alexandrie d'Égypte.*

Gentile et Giovanni Bellini, *La prédication de saint Marc à Alexandrie d'Égypte*, détails.

Salle IX

Dans cette salle se trouvent des œuvres de quelques-uns des plus importants artistes vénitiens du XVIe. Les quatre toiles du Tintoret illustrent bien cette phase artistique, mais elles marquent aussi certains des moments saillants de l'activité de ce peintre. L'*Allégorie de la Fortune* est une œuvre de jeunesse de cet artiste, traditionnellement considéré comme un élève de Titien mais qui trahit l'influence de la peinture toscane, romaine et émilienne ; la toile représentant *Sainte Hélène avec d'autres saints et un dévot*, inspirée par Véronèse, est quant à elle typique d'une phase plus mûre. Par ailleurs, la *Découverte du corps de saint Marc*, un des tableaux les plus célèbres et intéressants de ce maître vénitien, témoigne de l'attention que celui-ci portait à la dynamique spatiale de la composition et de sa tendance à construire les formes à travers l'utilisation de la lumière, qu'il interprétait comme un élément dramatique.

Le style d'un autre grand chef de file de l'école vénitienne, Paul Véronèse, chez lequel les éléments-clés sont la tendance à associer de vastes surfaces de couleurs baignées d'une lumière généralement claire et peu contrastée et des compositions encadrées par des architectures complexes, se retrouve dans le monumental *telero* représentant le *Repas dans la maison de Simon*, l'un des sujets de prédilection du peintre, dont les couleurs pleines de vie nous font pleinement apprécier son extraordinaire talent de coloriste. De l'autre côté de la salle, la toile représentant *Le baptême et les tentations du Christ*, riche de couleurs intenses et denses de lumière, atteste aussi la grande habileté du maître vénitien comme paysagiste, une caractéristique qu'il mit en particulier à profit dans les grands cycles décoratifs de fresques.

Le troisième grand chef de file de la peinture vénitienne du XVIe siècle, Titien, est représenté par le *Saint Jérôme pénitent*, une œuvre dramatique et intense, riche de tons chauds, typique de la phase de maturité de l'artiste, dans laquelle les critiques ont distingué le retour d'éléments maniéristes et une tentative de compénétration entre les personnages et le paysage qui les entoure.

Lorenzo Lotto
(Venise 1480 env. - Lorette 1556)
Pietà
Peinture à l'huile sur toile, 185x150 cm
Signée. A Brera depuis 1811, provenant de l'église San Paolo à Trévise.

Tiziano Vecellio, Titien
(Pieve di Cadore 1485/90 - Venise 1576)
Saint Jérôme pénitent
Peinture à l'huile sur bois, 235x125 cm
Signée. A Brera depuis 1808, provenant de l'église Santa Maria Nuova à Venise.

Paolo Caliari, dit Véronèse
(Vérone 1528 - Venise 1588)
La Cène
Peinture à l'huile sur toile, 220x523 cm
A Brera depuis 1811, provenant de l'église Santa Sofia à Venise

Paul Véronèse
Baptême et tentations du Christ
Peinture à l'huile sur toile, 248x450 cm
A Brera depuis 1809, provenant de l'église San Nicolò ai Frari à Venise.

Alessandro Varotari, dit le Padovanino
(Padoue 1588 - Venise 1649)
La victoire des Carnutes sur les Normands
Peinture à l'huile sur toile, 510x587 cm
Signée et datée 1618.
Provenant de l'église Santa Maria Maggiore à Venise.

Jacopo Robusti, dit le Tintoret
(Venise 1518-1594)
Le miracle de saint Marc
(*Découverte du corps de saint Marc*)
Peinture à l'huile sur toile, 400x400 cm
A Brera depuis 1811. Cette toile faisait partie d'un cycle représentant les épisodes de la vie du saint aux murs de la Scuola Grande di San Marco à Venise. Sa datation oscille entre 1562 et 1566, lorsque le "guardian grande" de la Scuola, le médecin Tommaso Rangone, en effectua le paiement.
Le mécène est représenté sous les traits du chevalier agenouillé au second plan.

Le Tintoret
Sainte Hélène, sainte Barbara, saint André, saint Macaire, un autre saint et un dévot en adoration devant la Croix
Peinture à l'huile sur toile, 275x165 cm
A Brera depuis 1805, provenant de l'église Santa Croce à Milan.

Le Tintoret
Allégorie de la Fortune
Peinture à l'huile sur toile, 96x140 cm
A Brera depuis 1808.

Le Tintoret
Pietà
Peinture à l'huile sur toile, 108x170 cm
A Brera depuis 1808, provenant des Procuratie de Saint-Marc à Venise.

Paul Véronèse
Saint Antoine abbé entre saint Cornélius et saint Cyprien
Peinture à l'huile sur toile, 270x180 cm
A Brera depuis 1808, provenant de l'église Sant'Antonio Abate à Torcello.

Paul Véronèse
Le repas dans la maison de Simon
Peinture à l'huile sur toile, 275x710 cm
A Brera depuis 1816.
Destiné au réfectoire du couvent de San Sebastiano à Venise, ce tableau fut peint en 1570. Il fait partie d'une série de grands banquets qui commence avec les *Noces de Cana* (Paris, Louvre).

Paul Véronèse
Le Christ dans le jardin de Gethsémani
Peinture à l'huile sur toile, 108x180 cm
A Brera depuis 1808, autrefois dans l'église Santa Maria Maggiore à Venise.

Jacopo da Ponte, dit Jacopo Bassano
(Bassano 1510 env. - 1592)
Saint Roch visitant les pestiférés
Peinture à l'huile sur toile, 350x210 cm
Signée. A Brera depuis 1811, provenant de l'église San Rocco à Vicence.

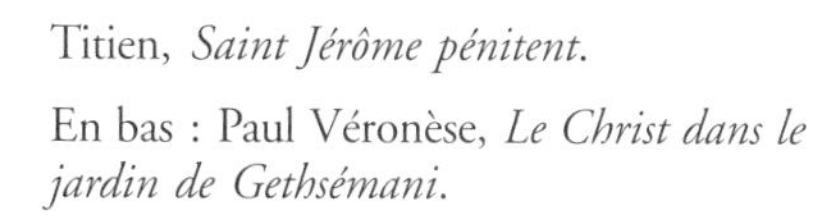

Titien, *Saint Jérôme pénitent.*

En bas : Paul Véronèse, *Le Christ dans le jardin de Gethsémani.*

Paul Véronèse, *Le repas dans la maison de Simon*.

Paul Véronèse, *Baptême et tentations du Christ.*

En haut : Paul Véronèse, *La Cène.*

Le Tintoret, *Le miracle de saint Marc.*

Le Tintoret, *Sainte Hélène, sainte Barbara, saint André, saint Macaire, un autre saint et un dévot en adoration devant la Croix.*

Page ci-contre : Giovanni Battista Moroni, *Assomption de la Vierge.*

Salle XIV

Le riche patrimoine de peinture vénitienne de la Pinacothèque de Brera est également documenté dans cette salle, où l'on trouve des peintres actifs au XVIe, dont certains originaires de Lombardie orientale, une région qui du point de vue artistique gravitait autour de la Vénétie. Parmi ceux-ci, Gerolamo Romanino, de Brescia, avec la *Vierge à l'Enfant* et la *Présentation au temple*, postérieure (1529) et influencée par le jeune Moretto avec lequel Romanino avait travaillé dans la chapelle du Saint-Sacrement de l'église San Giovanni Evangelista à Brescia.
Trois œuvres d'Alessandro Bonvicino, dit Moretto, lui aussi originaire de Brescia, sont exposées dans cette salle, dont plusieurs compartiments d'un polyptyque démembré provenant de la Val Trompia et une petite *Vierge à l'Enfant* datable entre la quatrième et la cinquième décennie du siècle qui compte parmi les meilleures compositions de demi-figures de cet artiste. Son fidèle élève Giovanni Battista Moroni, connu pour ses portraits, est l'auteur de deux toiles à sujets sacrés qui trahissent l'influence des œuvres du maître. La *Vierge à l'Enfant en trône entre des saints et des anges* du Bergamasque Giovanni Busi, dit Cariani, illustre fort bien la phase de maturité de l'artiste, qui se confronte avec le naturalisme de Giorgione et le chromatisme de la phase avancée de Titien, ainsi qu'avec le style de Lorenzo Lotto. On peut en outre admirer le grand retable représentant la *Vierge à l'Enfant et des saints* (1524-25) de Gerolamo Savoldo, un des coloristes les plus raffinés de Brescia, qui aimait utiliser une lumière rasante pour créer des effets chatoyants sur les étoffes des vêtements.
A Venise étaient également actifs le Hollandais Lambert Sustris (*Montée au Calvaire*) et le Véronais Bonifacio de' Pitati. La toile représentant *Moïse sauvé des eaux* est l'une des meilleures réalisations de cet artiste qui réussit à privilégier la dimension narrative de l'évènement sacré, dans une gamme de couleurs qui une fois encore rappelle la grande leçon de Giorgione.

Giovanni Antonio de' Sacchis, dit Pordenone
(Pordenone 1483/84 - Ferrare 1539)
Transfiguration
Détrempe sur bois, 93x64 cm
A Brera à la suite d'une confiscation en 1925/26. Autrefois dans le château de San Salvatore di Collalto, Trévise.

Gerolamo Romani, dit Romanino
(Brescia 1484/87-1560)
Vierge à l'Enfant
Peinture à l'huile sur bois, 83x62 cm
A Brera depuis 1896, provenant de l'archevêché de Milan (legs du cardinal Monti).

Lorenzo Lotto
(Venise 1480 env. - Lorette 1556)
Assomption de la Vierge
Peinture à l'huile sur bois, 27x56 cm
Prédelle de la *Transfiguration* de Recanati.
A Brera depuis 1855, legs de Pietro Oggioni. Autrefois dans la collection Mattei a Roma.

Alessandro Bonvicino, dit Moretto
(Brescia 1497/98-1552)
Vierge à l'Enfant
Peinture à l'huile sur toile, 49x57 cm
Achetée en 1911. Autrefois dans la collection Gustavo Frizzoni.

Moretto
Assomption de la Vierge avec saint Jérôme, saint Marc (?), sainte Catherine d'Alexandrie, sainte Claire et saint François d'Assise
Peinture à l'huile sur bois, 148x60 cm (panneau central), 103x30 cm et 114x60 cm (panneaux latéraux)
Partie d'un polyptyque démembré. A Brera depuis 1808, provenant de l'église Santa Maria degli Angeli à Gardone Val Trompia.

Moretto
Vierge à l'Enfant en Gloire avec saint Jérôme, saint François et saint Antoine abbé
Peinture à l'huile sur toile, 255x185 cm
A Brera depuis 1808, provenant de l'église Santa Maria degli Angeli à Gardone Val Trompia.

Giovanni Battista Moroni
(Albino, Bergame, 1520/24-1578)
Vierge à l'Enfant avec sainte Catherine, saint François et le donateur
Peinture à l'huile sur toile, 102x110 cm
A Brera depuis 1818 à la suite d'un échange avec Giuseppe Chinetti.

Giovanni Gerolamo Savoldo
(Brescia? 1480 env. - Venise? après 1548)
Vierge à l'Enfant en gloire avec des anges, saint Pierre, saint Dominique, saint Paul et saint Jérôme
Peinture à l'huile sur bois, 475x307 cm
Signée. A Brera depuis 1811. Commanditée par les moines dominicains pour le maître-autel de l'église San Domenico à Pesaro, cette œuvre fut exécutée dans les années 1524-25. On remarquera à l'arrière-plan la splendide vue qui rappelle davantage les Fondamenta Nuove de Venise que le port de Pesaro.

Romanino
Présentation de Jésus au temple
Peinture à l'huile sur bois, 188x140 cm
Signée et datée 1529. Achetée en 1923.

Giovanni Battista Moroni
Assomption de la Vierge
Peinture à l'huile sur toile, 330x225 cm
Signée. A Brera depuis 1811, provenant de l'église San Benedetto à Bergame.

Giovanni Busi, dit Cariani
(Bergame 1480 env. - Venise 1547)
Vierge à l'Enfant en trône avec des anges, sainte Apollonie, saint Augustin, sainte Catherine, saint Joseph, sainte Grata, saint Philippe Benizzi et sainte Barbara
Peinture à l'huile sur toile, 270x211 cm
A Brera depuis 1805, provenant de l'église San Gottardo à Bergame.

Cariani
Résurrection du Christ entre saint Jérôme, saint Jean-Baptiste et les donateurs Ottaviano et Domitilla Vimercati
Peinture à l'huile sur toile, 208x170 cm
Don de Paolo Gerli (1957).

Bonifacio de' Pitati
(Vérone 1487 env. - Venise 1553)
Le Christ et la femme adultère
Peinture à l'huile sur toile, 175x340 cm
A Brera depuis 1811, provenant de l'archevêché de Milan (legs du cardinal Monti).

Bonifacio Veronese
Moïse sauvé des eaux
Peinture à l'huile sur toile, 175x345 cm
A Brera depuis 1811, provenant de l'archevêché de Milan (legs du cardinal Monti).

Lambert Sustris
(Amsterdam 1515/20 - Venise 1584 env.)
Montée au Calvaire
Peinture à l'huile sur toile, 106x131 cm
A Brera depuis 1855, legs de Pietro Oggioni.

Paris Bordon
(Trévise 1500 env. - Venise 1571)
Le baptême du Christ
Peinture à l'huile sur toile, 175x202 cm
A Brera depuis 1811, provenant de l'archevêché de Milan (legs du cardinal Monti).

Paris Bordon
La Vierge recommandant saint Dominique au Rédempteur
Peinture à l'huile sur bois, 148x106 cm
Signée. A Brera depuis 1811, provenant de l'église San Paolo à Trévise.

Paris Bordon
Sainte Famille et saint Ambroise

Page ci-contre : Moretto, *Vierge à l'Enfant.*

Cariani, *Vierge à l'Enfant en trône avec des anges et des saints.*

présentant un donateur
Peinture à l'huile sur bois,
93x130 cm
A Brera depuis 1896, provenant de l'archevêché de Milan (legs du cardinal Monti).

Paris Bordon
La Pentecôte
Peinture à l'huile sur toile,
305x220 cm
A Brera depuis 1811, provenant de l'église du Saint-Esprit à Crema.

Jacopo Negretti, dit Palma l'Ancien
(Serina, Bergame, 1480 - Venise 1528)
Adoration des Mages en présence de sainte Hélène
Peinture à l'huile sur toile,
470x260 cm
A Brera depuis 1811, provenant de l'église Sant'Elena in Isola à Venise.

Bonifacio de' Pitati, *Moïse sauvé des eaux.*

Romanino, *Présentation de Jésus au temple.*

Salle XV

L'on trouve ici des tableaux, pour la plupart de grand format, d'artistes qui travaillèrent en Lombardie entre le XVe et le XVIe siècle. Sur le mur face à l'entrée, des œuvres de l'un des chefs de file de la peinture lombarde, Vincenzo Foppa, originaire de Brescia. Le polyptyque provenant de l'église Santa Maria delle Grazie à Brescia, datable du début des années 1480, présente une composition typique de la Renaissance, avec plusieurs compartiments dans lesquels des saints sont représentés sous une galerie d'arcades. Les splendides paysages que l'on entrevoit à l'arrière-plan de chacun des compartiments sont caractéristiques de l'art de Foppa. La *Vierge à l'Enfant* et le *Martyre de saint Sébastien* sont en revanche des fresques détachées de l'église Santa Maria di Brera à Milan, détruite, qui témoignent clairement de l'utilisation de la perspective inspirée par Bramante.
La *Vierge à l'Enfant en trône avec les Docteurs de l'Église et la famille de Ludovic le More*, de l'artiste anonyme communément dit Maître du Retable Sforza, est plutôt intéressante. Cette œuvre commanditée par Ludovic le More (qui y figure à genoux avec son épouse Béatrice d'Este) pour l'église Sant'Ambrogio ad Nemus à Milan (1494), atteste le goût de la cour des Sforza pour tout ce qui était fastueux et célébratif.
Nous voyons ici trois splendides tableaux de Bartolomeo Suardi, dit Bramantino, dont la *Crucifixion*, à la fois tragique et classique, dans laquelle on retrouve des caractéristiques de la phase avancée de son activité comme le classicisme des formes, les larges drapés et les monumentaux arrière-plans architecturaux, et la *Vierge à l'Enfant* de la même époque.
Si la peinture de Bramantino représentait une alternative intelligente et originale au "léonardisme" dominant dans la culture lombarde du début du siècle, l'activité de Marco d'Oggiono, qui fut l'élève de Léonard de Vinci, se déroula entièrement à l'ombre du maître, comme l'atteste le grand retable représentant *Trois archanges*.
Gaudenzio Ferrari, piémontais d'origine mais actif lui aussi dans le milieu lombard, est représenté ici par de nombreuses œuvres, dont les fresques détachées provenant de l'église Santa Maria della Pace à Milan, qui illustrent bien sa veine narrative, et la peinture sur bois représentant le *Martyre de sainte Catherine d'Alexandrie*, complexe et presque théâtrale.

Gaudenzio Ferrari
(Valduggia, Vercelli, 1475 - Milan 1546)
Présentation de Marie au temple, 186x65 cm
Le roi maure, 190x65 cm
Adoration des Mages, 190x136 cm
Cortège des Mages, 190x65 cm
Assomption de la Vierge, 105x105 cm
Anges musiciens, 105x105 cm
A Brera, depuis 1808.
Fresques reportées sur toile, autrefois dans la chapelle de la Naissance de la Vierge dans Santa Maria della Pace à Milan. Les franciscains, auxquels appartenait cette église, furent des commanditaires importants en Lombardie à la fin du XVe et au début du XVIe. Ils avaient par exemple déjà commandité à Gaudenzio *Le martyre de sainte Catherine* pour l'église Sant'Angelo et à Luini la décoration de la chapelle de Saint Joseph, toujours dans l'église Santa Maria della Pace. L'intérêt de cet ordre religieux se concentra sur les thèmes de la naissance et de la jeunesse de Marie, et il semble que le culte d'Anne et de Joseph ait été précisément diffusé par les franciscains à la fin du Moyen Age.

Gaudenzio Ferrari
Martyre de sainte Catherine d'Alexandrie
Peinture à l'huile sur bois, 334x210 cm
Achetée en 1829. Autrefois dans l'église Sant'Angelo à Milan.

Gaudenzio Ferrari
Vierge à l'Enfant
Peinture à l'huile sur bois, 100x75 cm
Cette peinture faisait peut-être partie d'un polyptyque qui se trouvait autrefois dans la chapelle de Sainte Marguerite à Varallo.
A Brera depuis 1890, provenant de la collection Prinetti de Milan.

Bartolomeo Suardi, dit Bramantino
(Milan 1465 env. - 1530)
Vierge à l'Enfant
Peinture à l'huile sur bois, 61x47 cm
A Brera depuis 1896, provenant de l'archevêché de Milan (legs du cardinal Monti).
Il s'agit d'une œuvre importante et significative de la maturité avancée de Bramantino, peut-être datable de 1510-13. L'identification du personnage que l'on voit sur la gauche du tableau est controversée : il est probable qu'il s'agisse de saint Joseph, tandis que les deux petits personnages à l'arrière-plan pourraient représenter la rencontre d'Anne et de Joachim.

Bramantino
Vierge à l'Enfant et anges
Fresque détachée, 240x135 cm
A Brera depuis 1808, provenant du Palais de la Ragione à Milan.

Bramantino
Crucifixion
Peinture à l'huile sur toile, 372x270 cm
A Brera depuis 1806.
On ignore où se trouvait à l'origine cette toile, tout d'abord attribuée à Bramante et jugée peu réussie dans les proportions et les drapés. Elle fut éloignée de Brera de 1841 à 1861. Par la suite, elle y revint mais ne fut pas exposée. En 1871, Cavalcaselle l'attribua à Bramantino et depuis c'est une des œuvres les plus connues de la pinacothèque.

Vincenzo Foppa
(Brescia 1427 env. - 1515 env.)
Martyre de saint Sébastien
Fresque détachée et reportée sur toile, 265x170 cm
A Brera depuis 1808, provenant de l'église Santa Maria di Brera.

Vincenzo Foppa
Vierge à l'Enfant avec saint Jean-Baptiste et saint Jean l'Évangéliste
Fresque détachée et reportée sur toile, 192x173 cm
Datée 1485. A Brera depuis

Maître du Retable Sforza, *Vierge à l'Enfant en trône avec les Docteurs de l'Église et la famille de Ludovic le More.*

1808, provenant de l'église Santa Maria di Brera.

Vincenzo Foppa
Polyptyque delle Grazie
Détrempe et huile sur bois
Panneau central inférieur, 185x98 cm: *Vierge à l'Enfant et anges*
Panneau central supérieur, 144x96 cm: *Saint François recevant les stigmates*
Cimaise, 42x41 cm: *Christ bénissant*
Panneaux latéraux inférieurs, 150x96 cm (chacun): *Saint Jérôme, saint Alexandre, saint Vincent et saint Antoine de Padoue*
Panneaux latéraux supérieurs, 140x98 cm (chacun): *Sainte Claire et saint Bonaventure, saint Louis de Toulouse et saint Bernardin de Sienne*
Prédelle, 42x97 cm: *Annonciation, Visitation, deux anges avec l'emblème de la Passion, la Nativité, la Fuite en Égypte*
Provenant de l'église Santa Maria delle Grazie à Bergame.
Reconstitué en 1912.
Ce polyptyque arriva à Brera en mauvaises conditions et en partie dépourvu de son encadrement, ayant été démembré pour être plus facilement vendu sur le marché des antiquités. Les cinq compartiments de la prédelle furent achetés plus tard (1912).
La complexité de la composition a donné lieu dans le passé à de nombreuses controverses sur l'attribution et l'emplacement de l'œuvre. On considère de nos jours qu'elle fut peinte vers 1483.

Maître du Retable Sforza
(Lombardie, 1490 env. - 1520 env.)
Vierge à l'Enfant en trône avec les Docteurs de l'Église et la famille de Ludovic le More
Détrempe sur bois, 230x165 cm
A Brera depuis 1808, provenant de l'église Sant'Ambrogio ad Nemus à Milan.

Giovanni Bernardino et **Giovan Stefano Scotti**
(Lombardie, documentés de 1485 à 1520)
Crucifixion avec sainte Catherine, saint François, saint Bonaventure (?) et saint Pierre
Peinture à l'huile sur bois, 243x143 cm
A Brera depuis 1905, autrefois dans l'église Sant'Angelo à Milan.

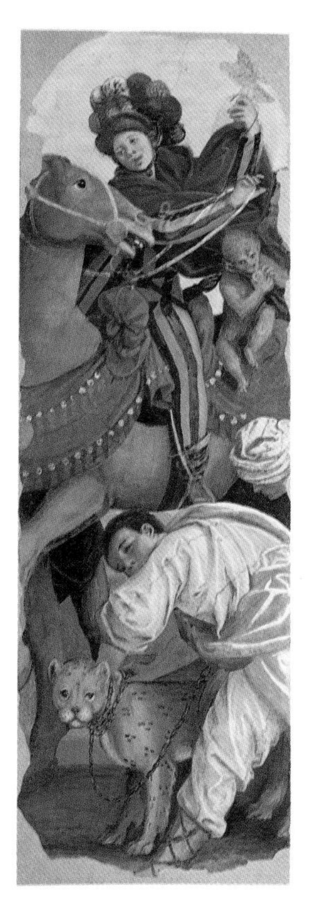

Gaudenzio Ferrari, *Cortège des Mages*, *Adoration des Mages* et *Le roi maure.*

Ambrogio da Fossano, dit le Bergognone
(Milan 1453 env. - 1523)
Assomption de la Vierge et des saints et *Couronnement de la Vierge* (lunette)
Peintures à l'huile sur bois, 271x245 cm et 125x245 cm
Signées et datées 1522.
A Brera depuis 1809, provenant de l'église Santa Maria Incoronata à Nerviano (Milan).

Bernardino Luini (?)
(Milan 1480/90-1532)
Annonciation
Peinture à l'huile sur bois, 265x165 cm
A Brera depuis 1805, provenant de l'église Santa Marta à Milan.

Marco d'Oggiono
(Oggiono, Côme, 1475 - Milan 1530 env.)
Élévation de Marie-Madeleine
Peinture à l'huile sur bois, 146x103 cm
A Brera depuis 1989, récupérée en Allemagne grâce aux accords de Bonn.

Marco d'Oggiono
Trois archanges
Peinture à l'huile sur bois, 255x190 cm
Signée. A Brera depuis 1808, provenant de l'église Santa Marta à Milan.

Gaudenzio Ferrari
Épisodes de la vie de Joachim et Anne
Fresques reportées sur toile
Panneau central inférieur, 190x135 cm: *Annonce de la naissance de Marie*
Médaillon central supérieur, diamètre 115 cm: *Consécration de Marie*
Panneaux latéraux inférieurs, 190x65 cm (chacun): *Lamentation d'Anne* et *Joachim chassé du temple*
Panneaux latéraux supérieurs, 105x105 cm (chacun): *Ange de l'Annonciation* et *Vierge de l'Annonciation*

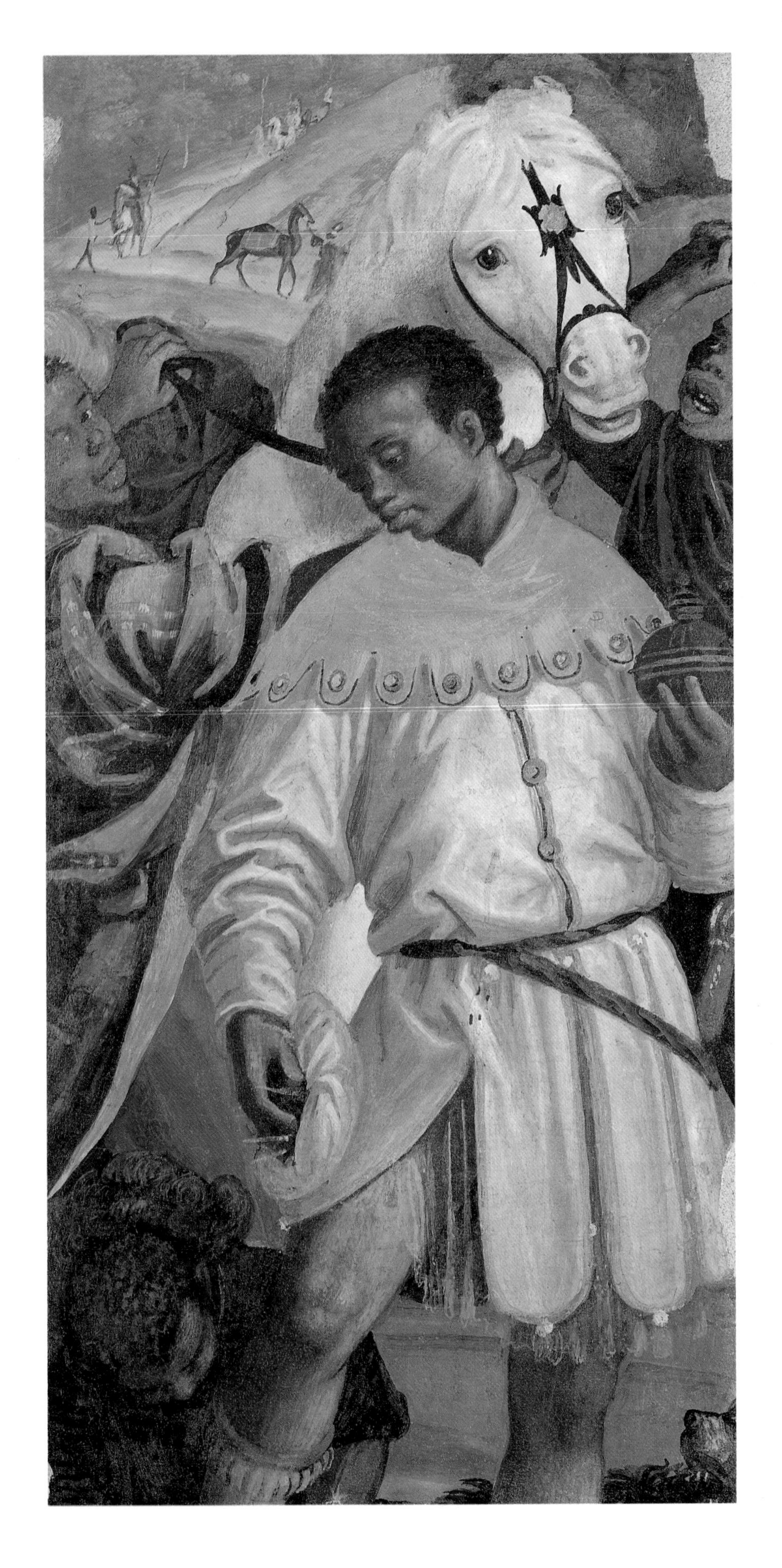

Marco d'Oggiono, *Trois archanges.*

Page ci-contre : Gaudenzio Ferrari, *Martyre de sainte Catherine d'Alexandrie.*

Bramantino, *Vierge à l'Enfant.*

Bramantino, *Crucifixion*.

Vincenzo Foppa, *Polyptyque delle Grazie*.

Page ci-contre : Vincenzo Foppa, *Martyre de saint Sébastien*.

Salle XVIII

Au cours du XVIe siècle, nombreux furent les artistes originaires de Crémone qui jouèrent un rôle important dans la production lombarde et souvent travaillèrent aussi à Milan. Des artistes actifs entre le XVe et le XVIe furent Boccaccio Boccaccino (*Vierge à l'Enfant*) et Altobello Melone, auteur de deux peintures sur bois dont une représente *Alda Gambara*, avec à l'arrière-plan une intéressante vue du château de Brescia.
Une des familles de peintres qui dominèrent la scène artistique de Crémone fut celle des Campi ; à Brera l'on peut voir la *Vierge à l'Enfant et des saints* de Giulio Campi, l'aîné des trois frères, qui atteste une nette ouverture vers le raphaélisme émilien et présente des effets de couleurs inspirés par Romanino. Antonio Campi est quant à lui représenté par une *Vierge à l'Enfant entre des saints*, œuvre élégante et raffinée. Le plus jeune des frères, Vincenzo, est l'auteur de scènes de genre. Il se consacra à ce type de peinture en particulier au cours des toutes dernières années de son activité : on connaît en effet certains exemplaires dans lesquels se manifeste l'influence des artistes flamands, allant de pair avec une veine substantiellement lombarde, au point que très souvent ses compositions de natures mortes ont été vues comme une anticipation du Caravage. Sofonisba Anguissola, une femme peintre d'un grand raffinement fort appréciée à son époque, fut l'élève de Bernardino Campi, représenté ici par un élégant *Christ mort* ; elle se spécialisa dans les portraits, tel le petit *Portrait de Minerva Anguissola (Autoportrait ?)* que l'on voit dans cette salle. Et une autre portraitiste importante fut la Bolonaise Lavinia Fontana, dont Brera possède un *Portrait de famille*.
La famille Piazza, originaire de Lodi, est représentée par une peinture sur bois, *Saint Jean-Baptiste*, due à Martino, et par trois œuvres du fils de celui-ci, Callisto, dont un important *Baptême du Christ*.
La peinture lombarde de la fin du XVIe est représentée par Giovanni Ambrogio Figino (*Portrait de Lucio Foppa*) et Giovanni Paolo Lomazzo, auteur de traités et théoricien de l'art milanais dont l'*Autoportrait*, exécuté en 1568, peu d'années avant que le peintre ne devînt aveugle, trahit la persistance de la leçon de Léonard de Vinci, vivifiée par des influences nordiques.

Martino Piazza
(Lodi 1475/80 - 1523 env.)
Saint Jean-Baptiste
Peinture à l'huile sur bois,
183x57 cm.
A Brera depuis 1805.

Peintre lombard
(actif au début du XVIe siècle)
Vierge à l'Enfant entre saint Paul et saint Jean-Baptiste
Peinture à l'huile sur bois,
228x150 cm.
A Brera depuis 1808,
provenant de l'église San Paolo in Compito à Milan (détruite).

Giovanni Agostino da Lodi, autrefois Pseudo Boccaccino
(Lombardie, actif de la dernière décennie du XVe siècle à 1520 env.)
Vierge à l'Enfant et un ange
Peinture à l'huile sur bois,
75x67 cm. Achetée en 1912 à Teresa Ciceri de Côme.

Callisto Piazza
(Lodi 1500 env. - 1562)
Mariage mystique de sainte Catherine
Peinture à l'huile sur bois,
38x51 cm. Achetée en 1935.

Callisto Piazza
Baptême du Christ
Peinture à l'huile sur toile,
295x255 cm
A Brera depuis 1811, provenant de l'église Santa Caterina à Crema.

Altobello Melone
(Crémone 1485 env. - avant 1543)
Portrait d'Alda Gambara
Peinture à l'huile sur bois,
60x50 cm

Vincenzo Campi
(Crémone 1536-1591)
La marchande de fruits
Peinture à l'huile sur toile,
144x217 cm
A Brera depuis 1809.

Vincenzo Campi
La marchande de poissons
Peinture à l'huile sur toile,
143x213 cm
A Brera depuis 1809.

Sofonisba Anguissola
(Crémone 1527 - Palerme 1625)
Portrait de Minerva Anguissola (Autoportrait?)
Peinture à l'huile sur toile,
36x29 cm. Signée. Achetée en 1911 à l'antiquaire Carlo Zen.

Lavinia Fontana
(Bologne 1552 - Rome 1614)
Portrait de famille
Peinture à l'huile sur toile,
105x85 cm
A Brera depuis 1808,
provenant du siège milanais du Ministère des Finances.

Giovanni Ambrogio Figino
(Milan 1551/54 env. - 1608)
Portrait de Lucio Foppa
Peinture à l'huile sur bois,
180x100 cm. Signée.
A Brera depuis 1809, provenant de la collection Sannazzari, donnée à l'Ospedale Maggiore en 1802, en partie achetée par la volonté d'Eugène de Beauharnais.

Giovan Paolo Lomazzo
(Milan 1538-1600)
Autoportrait
Peinture à l'huile sur toile,
56x44 cm
A Brera depuis 1821 à la suite d'un échange.

Antonio Campi
(Crémone 1523-1587)
Portrait de Bartolomeo Arese
Peinture à l'huile sur bois,
56x49 cm
Cédée en 1962 par la famille Radlinsky de Milan.

Giovan Paolo Lomazzo
Le Crucifix, la Vierge, saint Jean et Marie-Madeleine
Peinture à l'huile sur bois,
250x148 cm
A Brera depuis 1809, provenant de San Giovanni in Conca à Milan.

Giovanni Ambrogio Figino
Vierge à l'Enfant avec saint Jean l'Évangéliste et saint Michel
Peinture à l'huile sur toile,
314x175 cm
A Brera depuis 1805, provenant du Collège des Docteurs (Palais des Jurisconsultes) à Milan.

Bernardino Campi
(Crémone 1522-1591)
Le Christ mort
Peinture à l'huile sur toile,
235x165 cm
Signée et datée 1574. A Brera depuis 1811.

Sofonisba Anguissola
Pietà
Peinture à l'huile sur bois,
44x27 cm
Achetée en 1909.

Antonio Campi
Vierge à l'Enfant avec saint Joseph, sainte Catherine et sainte Agnès
Peinture à l'huile sur toile, 230x145 cm
Signée. A Brera depuis 1810, provenant de l'église San Barnaba à Milan.

Camillo Boccaccino
(Crémone 1505 env. - 1546)
Vierge à l'Enfant et saints
Peinture à l'huile sur toile, 296x165 cm
Signée et datée 1532. A Brera depuis 1809, provenant de l'église San Bartolomeo à Crémone.

Giulio Campi
(Crémone 1508 env. - 1573)
Vierge à l'Enfant avec sainte Catherine d'Alexandrie, saint François et le donateur, Stampa Soncino
Peinture à l'huile sur bois, 266x167 cm
Signée et datée 1530.
A Brera depuis 1883, provenant de l'église Santa Maria delle Grazie à Soncino.

Callisto Piazza
Vierge à l'Enfant avec saint Jean-Baptiste et saint Jérôme
Huile et détrempe sur bois, 215x188 cm
Signée. Achetée en 1829 aux comtes Lechi de Brescia.

Altobello Melone
Descente de croix
Peinture à l'huile sur bois, 160x175 cm
Achetée en 1916 au Pio Ricovero di Maternità de Milan.

Boccaccio Boccaccino
(Crémone 1465 env. - 1524/25)
Vierge à l'Enfant jouant avec un oiseau
Peinture à l'huile sur bois, 49x40 cm
Achetée en 1925.

Gian Pietro Rizzi, dit Giampietrino
(Milan, documenté dans la première moitié du XVIe siècle)
Vierge à l'Enfant
Peinture à l'huile sur bois, 49x38 cm
Achetée en 1995.

Sofonisba Anguissola, *Portrait de Minerva Anguissola (Autoportrait?)*.

En haut :
Lavinia Fontana, *Portrait de famille.*

Antonio Campi, *Vierge à l'Enfant avec saint Joseph, sainte Catherine et sainte Agnès.*

Page ci-contre, en haut : Vincenzo Campi, *La marchande de fruits.*

Page ci-contre, en bas : Vincenzo Campi, *La marchande de poissons.*

Giovanni Ambrogio Figino, *Portrait de Lucio Foppa.*

En haut à gauche : Altobello Melone, *Portrait d'Alda Gambara.*

Ci-contre: Giovan Paolo Lomazzo, *Autoportrait.*

Salle XIX

Les artistes "léonardesques" - terme qui englobe tant des élèves de Léonard de Vinci que des peintres actifs entre la fin du XVe et le début du XVIe qui d'une manière ou d'une autre se confrontèrent à l'art du grand maître toscan - sont représentés dans cette petite salle par des tableaux de petit format, très souvent des œuvres de dévotion destinées à des particuliers, à la différence de ceux qui se trouvent dans la salle XV et qui pour la plupart proviennent d'édifices religieux.
Outre les deux splendides portraits de Giovanni Antonio Boltraffio (*Portrait de Gerolamo Casio*) et d'Andrea Solario (*Portrait de jeune homme*), l'art lombard du portrait à la fin du XVe est illustré ici par le *Portrait de jeune homme* de Giovanni Ambrogio De Predis, une œuvre fort intense par sa pénétration psychologique.
La *Vierge à l'arbre* de Cesare da Sesto témoigne d'un moment particulier de l'activité de cet artiste, où des éléments inspirés par Léonard de Vinci se fondent avec des citations du classicisme de Raphaël.
Bernardino Luini, un des interprètes "léonardesques" les plus sensibles et mesurés, est représenté par la *Madone de la Roseraie*, qui peut être mise en rapport avec nombre de dessins de Léonard de Vinci lui-même. Il s'agit d'une œuvre de grande qualité, qui eut d'emblée du succès auprès des contemporains de l'artiste et dans lequel celui-ci se montre sensible à l'influence de son maître dans le clair-obscur et la délicatesse des carnations.
Un artiste étranger à l'entourage de Léonard et qui représente une culture encore pleinement XVe siècle est Bergognone, duquel sont exposées ici la *Vierge à l'Enfant, sainte Catherine de Sienne et un chartreux*, probablement peinte pendant les années de son intense activité à la chartreuse de Pavie (1488-94), et la *Vierge au voile*, une œuvre raffinée et délicate datable de la phase avancée de sa carrière.

Gian Pietro Rizzi, dit Giampietrino
(Milan, documenté dans la première moitié du XVIe siècle)
Marie-Madeleine en prière
Peinture à l'huile sur bois, 50x60 cm
Don de Giulia Beccaria, mère d'Alessandro Manzoni (1835).

Bartolomeo Veneto
(actif entre 1502 et 1530)
Joueuse de luth
Peinture à l'huile sur bois, 65x50 cm
Achetée en 1932.

Giovanni Antonio Boltraffio
(Milan 1467-1516)
Portrait de Gerolamo Casio
Peinture à l'huile sur bois, 52x43 cm
A Brera depuis 1902, provenant de la Bibliothèque Universitaire de Bologne.

Peintre lombard
(début du XVIe siècle)
Deux dévots en adoration
Peinture à l'huile sur bois, 140x120 cm
Fragment. Achetée en 1897.

Andrea Solario
(Milan 1470 env. - 1524)
Portrait de jeune homme
Détrempe et huile sur bois, 42x32 cm
A Brera depuis 1811, provenant de l'archevêché de Milan (legs du cardinal Monti).

Giovanni Ambrogio De Predis
(Milan 1455 env. - après 1508)
Portrait de jeune homme
Peinture à l'huile sur bois, 49x39 cm

Giovanni Agostino da Lodi
(Lombardie, actif depuis la dernière décennie du XVe siècle jusqu'à 1520 env.)
Saint Pierre et saint Jean l'Évangéliste
Peinture à l'huile sur bois, 26x35 cm
Signée. Achetée en 1913.

Ambrogio da Fossano, dit le Bergognone
(Milan 1453 env. - 1523)
Vierge à l'Enfant, sainte Catherine de Sienne et un chartreux
Peinture à l'huile sur bois, 46x40,5 cm
Achetée en 1891 à la collection Henfrey de Baveno.
On pense que le Bergognone l'exécuta pour la cellule d'un moine de la chartreuse de Pavie, où il travailla entre 1488 et 1494.

Bergognone
La Vierge au voile
Peinture à l'huile sur bois, 60x40 cm
Achetée en 1911 à un particulier
Il semble que cette *Vierge* ait également été peinte pour une cellule de la chartreuse de Pavie, à en croire les deux moines assis de la petite scène de l'arrière-plan, mais elle date d'une période plus avancée de l'activité de l'artiste.

Andrea Solario
Vierge à l'Enfant avec saint Joseph et saint Siméon
Détrempe et huile sur bois reportées sur toile, 102x87 cm
Signée et datée 1495. Don d'Eugène de Beauharnais (1811).

Bernardino Luini (?)
(Milan 1480/90-1532)
La Vierge à l'Enfant, saint Jacques, saint Philippe et la famille Busti
Peinture à l'huile sur bois, 195x145 cm
A Brera depuis 1809, provenant de l'église Santa Maria di Brera.

Bernardino Luini
La Madone de la Roseraie
Peinture à l'huile sur bois, 70x63 cm
A Brera depuis 1825, provenant de la chartreuse de Pavie.

Cesare da Sesto
(Sesto Calende, Varèse, 1477 - Milan 1523)
La Vierge à l'arbre
Peinture à l'huile sur bois, 46x36 cm
A Brera *ante* 1812.

Suiveur de Léonard de Vinci
(Lombardie, XVIe siècle)
Vierge à l'Enfant à l'agneau
Peinture à l'huile sur bois, 60x52 cm
Achetée en 1893.

Bergognone, *Vierge à l'Enfant, sainte Catherine de Sienne et un chartreux.*

Page ci-contre : Bergognone, *La Vierge au voile.*

Bernardino Luini, *La Madone de la Roseraie.*

Giovanni Ambrogio De Predis, *Portrait de jeune homme.*

En haut à droite : Andrea Solario, *Portrait de jeune homme.*

Ci-contre : Giovanni Antonio Boltraffio, *Portrait de Gerolamo Casio.*

SALLE XX

Le panorama artistique émilien est plutôt bien représenté dans la Pinacothèque de Brera, et dans cette salle on peut voir une sélection des plus importants peintres actifs dans la seconde moitié du XVe et les premières décennies du XVIe.
De Cosmè Tura, un représentant de tout premier plan de l'école ferraraise, dont la formation fut influencée tant par la tradition de la fin de l'époque gothique que par les innovations de Piero della Francesca en matière de perspective, est exposé un petit *Christ crucifié*, fragment d'un retable représentant *Saint Jérôme* à présent à la National Gallery de Londres. On voit en outre ici les splendides *Saint Pierre* et *Saint Jean-Baptiste* de Francesco del Cossa, un artiste attiré par la manière de Piero della Francesca et ouvert à l'influence de Mantegna. Ces deux tableaux sont vraiment emblématiques du style de ce chef de file de l'école ferraraise, qui aime à s'attarder sur la description minutieuse et presque obsessionnelle de chaque petit objet représenté, dans une lumière claire et limpide, sans pour autant perdre de vue le rendu vibrant des carnations et des drapés larges et monumentaux.
De Lorenzo Costa, l'un des représentants les plus significatifs - avec l'autre grand second rôle Francesco Francia - de ce que l'on a coutume d'appeler le "classicisme émilien prématuré" des premières décennies du XVIe, nous trouvons l'*Adoration des Mages*, caractéristique d'un moment assez avancé de sa production. Après 1500 en effet, à la suite d'une formation dans le milieu artistique ferrarais, sa peinture se fit l'écho de certaines influences du Pérugin et de Filippino Lippi, avec pour résultat un œuvre éclectique. Le Bolonais Amico Aspertini, un contemporain de Costa et de Francia, est un artiste curieux, intéressé par les accentuations physiognomoniques, dont la production est parcourue par une veine féerique, comme en témoigne son *Saint Cassien*.

Maître ferrarais
(actif vers 1450)
Les marchands qui avaient volé un âne demandent pardon à saint Jérôme
Saint Jérôme malade se voit flagellé par des anges devant Dieu
Peintures sur bois, 41x30 cm (chacune)

Filippo Mazzola
(Parme 1460 env. - 1505)
Portrait d'homme
Peinture à l'huile sur bois, 44x28 cm
Signée. A Brera depuis 1811, provenant de l'archevêché de Milan (legs du cardinal Cesare Monti).

Lorenzo Leonbruno
(Mantoue 1477 env. - 1537)
Allégorie de la calomnie
Peinture à l'huile sur bois, 76x100 cm
Signée. Monochrome.

Peintre vénitien
(actif vers 1480)
Portrait d'homme
Portrait de femme
Détrempe sur bois, 25x18 cm (chacune)
A l'origine peintes au recto et au verso d'un même bois, ensuite scié en deux. A Brera depuis 1894 à la suite d'un échange avec l'Université de Bologne.

Peintre émilien
(Gian Francesco Maineri?)
(fin du XVe siècle)
Flagellation
Toile, 66x50 cm

Bernardino Zaganelli
(Cotignola, Ravenne, 1460/70 - après 1509)
Le Christ portant la croix
Peinture à l'huile sur bois, 37x31 cm

Bernardino Zaganelli
Le Christ portant la croix
Peinture à l'huile sur bois, 95x55 cm
En dépôt de la collection Litta Modignani.

Marco Palmezzano
(Forlì 1459/63-1539)
Tête de saint Jean-Baptiste
Peinture à l'huile sur bois, 29x26 cm
A Brera depuis 1811, provenant de l'église des Observantins à Cotignola (Ravenne).

Gian Francesco Maineri
(Parme, documenté de 1489 à 1506)
Tête de saint Jean-Baptiste
Peinture à l'huile sur bois reportée sur toile, 44x30 cm
Signée.

Lorenzo Costa
(Ferrare 1460 c. - Mantoue 1535)
Adoration des Mages
Peinture à l'huile sur bois, 75x181 cm
Signée et datée 1499.
Prédelle de la *Nativité* de Francesco Francia, à présent à la Pinacothèque de Bologne.

Amico Aspertini
(Bologne 1474/75 env. - 1552)
Saint Cassien
Peinture sur bois, 34x38 cm

Francesco del Cossa
(Ferrare 1436 env. - Bologne 1478 env.)
Saint Jean-Baptiste
Saint Pierre
Détrempe et or sur bois, 112x55 cm (chacune)
Ces deux peintures sur bois faisaient partie d'un polyptyque consacré au dominicain espagnol Vincent Ferrier (1473) qui se trouvait autrefois dans la chapelle de la famille Griffoni dans l'église San Petronio à Bologne. Cette œuvre fut démembrée entre 1725 et 1730 lorsque Stefano Orlandi refit la chapelle. Les dessins que celui-ci réalisa avant le début des travaux constituent à présent une précieuse source d'informations quant à la composition et à l'emplacement d'origine du polyptyque.
Le panneau central, représentant *Saint Vincent Ferrier*, est conservé à la National Gallery de Londres.

Cosmè Tura
(Ferrare 1430 env. - 1495)
Le Christ en croix
Détrempe sur bois, 22x17 cm
Fragment d'un retable représentant *Saint Jérôme*, autrefois à la chartreuse de Ferrare.

Amico Aspertini, *Saint Cassien.*

En haut : Lorenzo Costa, *Adoration des Mages.*

Francesco del Cossa,
Saint Pierre.

Francesco del Cossa,
Saint Jean-Baptiste.

Salle XXI

Carlo Crivelli, d'origine vénitienne mais qui vécut dans les Marches, réalisa dans cette région certaines de ses plus belles œuvres, largement documenté à Brera. Le *Triptyque de Camerino*, signé et daté 1482, est une œuvre typique de sa maturité, où l'on distingue une certaine adhésion aux formules de la Renaissance, par exemple dans la tentative d'unifier l'espace entre les différents compartiments et dans la présence d'éléments décoratifs tirés du répertoire classique. La *Vierge à la petite bougie*, à peine postérieure (1490-91), provient elle aussi de Camerino où elle constituait la partie centrale d'un polyptyque, tout comme la *Crucifixion* (dans cette même salle), qui occupait peut-être la cimaise. Toutes deux reflètent une phase artistique de Crivelli caractérisée par une étroitesse des répertoires, qui deviennent répétitifs bien qu'il soit difficile de se soustraire au charme d'une richesse décorative où les habituels festons végétaux s'allient aux damas somptueux des étoffes. La dernière œuvre connue de cet artiste, qui la réalisa peu avant sa mort, est le *Couronnement de la Vierge*, autrefois surmonté de la lunette représentant la *Pietà*.
D'autres artistes actifs dans les Marches furent Girolamo di Giovanni, dont nous voyons le *Polyptyque de Gualdo Tadino* (1460 env.), et Pietro Alemanno, un artiste peu connu, peut-être arrivé dans les Marches avec Crivelli, qui réalisa pour l'église San Francesco à Monterubbiano le polyptyque exposé dans cette salle.

Vittore Crivelli
(Venise 1440 env. - Fermo 1501)
Saint Ginesius et saint Joachim
Sainte Anne et saint François
Détrempe sur bois, 134x60 cm et 134x65 cm
A Brera depuis 1855, legs de Pietro Oggioni.

Vittore Crivelli
Saint Jean l'Évangéliste
Détrempe sur bois, 132x50 cm
Compartiment d'un polyptyque à présent perdu.
A Brera depuis 1855, legs de Pietro Oggioni.

Carlo Crivelli
(Venise 1430/35 - Fermo, 1495 env.)
Triptyque de Camerino
Détrempe sur bois
Panneau central, 190x78 cm : *Vierge à l'Enfant* (signée et datée 1482)
Panneaux latéraux, 170x60 cm (chacun): *Saint Pierre et saint Dominique* et *Saint Pierre martyr et saint Venantius*
Panneaux inférieurs, 25x62 cm (chacun): *Saint Jacques, saint Bernardin, saint Pèlerin* et *Saint Antoine abbé, saint Jérôme et saint André*
Autrefois dans l'église San Domenico à Camerino.

Carlo Crivelli
Couronnement de la Vierge
Détrempe sur bois, 255x225 cm
Dans la lunette: *Le Christ mort*
Signée et datée 1493.
Provenant de l'église San Francesco à Fabriano.

Carlo Crivelli
La Vierge à la petite bougie
Peinture à l'huile sur bois, 218x75 cm
Signée.
Partie centrale du polyptyque démembré provenant de la cathédrale de Camerino, qui fut emporté après le tremblement de terre de 1799 et transporté dans l'église San Domenico.
De là il fut ensuite envoyé à Brera en 1811. Le polyptyque d'origine – exécuté après 1488 – comptait, outre la *Crucifixion*, deux peintures sur bois à présent aux Galeries de l'Académie à Venise.

Carlo Crivelli
Le Crucifix avec la Vierge et saint Jean l'Évangéliste
Peinture à l'huile sur bois, 218x75 cm
Partie d'un polyptyque démembré provenant de la cathédrale de Camerino.

Pietro Alemanno
(Göttweih, actif dans les Marches de 1475 à 1497)
Polyptyque de Monterubbiano
Détrempe sur bois
Panneau central inférieur, 108x51 cm : *Vierge à l'Enfant*
Panneau central supérieur, 62x49 cm : *Résurrection*
Panneaux latéraux inférieurs, 146x33 cm (chacun): *Saint Augustin, saint Pierre, saint Jean-Baptiste et saint François*
Panneaux latéraux supérieurs, 58x29 cm (chacun): *Saint Jérôme, saint Cornélius pape, saint Louis de Toulouse et saint Étienne*
A Brera depuis 1811, provenant de l'église San Francesco à Monterubbiano (Ascoli Piceno).

Niccolò di Liberatore, dit l'Alunno
(Foligno, 1430 env. - 1502)
Polyptyque de Cagli
Détrempe sur bois
Panneau central inférieur, 178x91 cm : *Vierge à l'Enfant en trône et des anges*
Panneau central supérieur, 121x91 cm: *Le Christ ressuscité et des anges*
Panneaux latéraux inférieurs, 157x47 cm (chacun): *Saint Sébastien, saint François, saint Bernardin de Sienne et saint Louis de Toulouse*
Panneaux latéraux supérieurs : *Saint Pierre* (107x47 cm); *Saint Jean-Baptiste* (91x47 cm); *Saint Antoine de Padoue* (99x47 cm); *Saint Jérôme* (95x47 cm)
Pointes, 60x41 cm (chacune): *Sainte Claire et saint Pierre martyr*
Provenant du monastère de San Francesco à Cagli (Pesaro).

Bartolomeo di Tommaso
(Marches, actif de 1425 à 1455)
Vierge en adoration devant l'Enfant
Détrempe sur bois, 121x42 cm
A Brera depuis 1811, provenant de l'église San Giacomo à Pergola (Pesaro).

Girolamo di Giovanni
(Camerino, documenté de 1449 à 1473)
Polyptyque de Gualdo Tadino
Détrempe sur bois
Panneau central inférieur, 132x60 cm: *Vierge à l'Enfant et des anges*
Panneau central supérieur, 190x60 cm: *Crucifixion*
Panneaux latéraux inférieurs, 118x42 cm (chacun): *Saint Augustin, sainte Catherine, sainte Apollonie et saint Nicolas de Tolentino*
Panneaux latéraux supérieurs, 154x42 cm (chacun): *Saint Sébastien, saint Pierre, saint Laurent et saint Jérôme*
En dépôt du musée Poldi Pezzoli de Milan. Provenant de l'église Sant'Agostino à Gualdo Tadino (Pérouse), reconstitué en 1925.

Maître des panneaux Barberini
(documenté de 1445 à 1484)
Saint Pierre
Détrempe sur bois, 140x48 cm
A Brera depuis 1904/1905, legs de Casimiro Sipriot.

Carlo Crivelli, *Couronnement de la Vierge.*

En haut : Carlo Crivelli, *Le Christ mort.*

Pietro Alemanno, *Polyptyque de Monterubbiano*.

En bas : Carlo Crivelli, *Triptyque de Camerino*.

Carlo Crivelli, *Le Crucifix avec la Vierge et saint Jean l'Évangéliste.*

Carlo Crivelli, *La Vierge à la petite bougie.*

SALLES XXII ET XXIII

Dans ces deux salles sont exposés des tableaux d'artistes actifs en Emilie-Romagne entre la fin du XVe et les premières années du XVIe, comme Francesco et Bernardino Zaganelli, Garofalo et Marco Palmezzano. De ce dernier, signalons la *Vierge à l'Enfant et saints*, signée et datée 1493, qui marque une étape importante de l'évolution de son style, caractérisé par une bonne définition de l'espace et un sens plastique des figures.
Brera possède une des œuvres les plus significatives du Ferrarais Ercole de'Roberti, l'imposant retable d'autel représentant une *Vierge à l'Enfant et saints*, à l'origine dans l'église Santa Maria in Porto à Ravenne. La composition en est typiquement Renaissance, et la Sainte Conversation est représentée dans une architecture complexe et extrêmement équilibrée mais richement décorée, selon le plus typique goût ferrarais, de bas-reliefs historiés imitant le bronze. Il s'agit là d'une œuvre très importante, ne serait-ce que parce que c'est la seule de la production de De' Roberti que des documents nous permettent de dater, aux environs de 1480 : ce tableau marque donc l'évolution stylistique du maître après les célèbres fresques du palais Schifanoia à Ferrare et le *Retable de saint Lazare*, autrefois à Berlin et malheureusement détruit en 1945. Un Ferrarais de la génération suivante est Dosso Dossi, dont nous voyons ici un élégant *Saint Sébastien*, typique de la production de sa maturité, lorsqu'à l'influence de Giorgione (voir le beau paysage sur la gauche) viennent s'ajouter des expériences culturelles plus nouvelles qui privilégient le dessin et la définition plastique des corps.
Dans la salle XXIII on peut voir la suite de la sélection d'œuvres d'artistes émiliens comme l'*Annonciation* de Francesco Raibolini, dit Francia, l'un des principaux représentants du courant d'inspiration classique à Bologne dans les premières années du XVIe. Du Corrège, surtout actif à Parme, nous voyons deux œuvres, une *Nativité* proche de la *Vierge de saint François* (Dresde, Gemäldegalerie) en raison de la présence d'éléments inspirés par Mantegna et sensiblement adoucis, et une *Adoration des Mages* d'une grande richesse de couleurs, datable vers 1516.

SALLE XXII

Giovanni Luteri, dit Dosso Dossi
(Ferrare? 1489 env. - Ferrare 1542)
Saint Jean-Baptiste
Saint Georges
Peinture à l'huile sur bois, 163x49 cm et 163x48 cm
Parties d'un triptyque.
Achetées en 1903.

Giovanni Battista Benvenuti, dit l'Ortolano
(Ferrare 1487 env. - 1525)
Crucifixion
Peinture à l'huile sur bois, 258x176 cm
A Brera depuis 1905, provenant de l'église Sant'Agostino à Ferrare.

Benvenuto Tisi, dit il Garofalo
(Ferrare 1476 env. - 1559)
Le Christ descendu de la croix
Peinture à l'huile sur bois, 300x166 cm
A Brera depuis 1811, provenant de l'église Sant'Antonio in Polesine à Ferrare.

Dosso Dossi
Saint Sébastien
Peinture à l'huile sur bois, 182x95 cm
A Brera depuis 1808, provenant de l'église de la Santissima Annunziata à Crémone.

Lodovico Mazzolino
(Ferrare 1480-1528)
Résurrection de Lazare
Peinture à l'huile sur bois, 38x50 cm
Datée 1527.

Ercole de' Roberti
(Ferrare 1450 env. - 1496)
Vierge à l'Enfant en trône avec sainte Anne, sainte Élisabeth, saint Augustin et le bienheureux Pietro degli Onesti
Peinture à l'huile sur toile, 323x240 cm
A Brera depuis 1811.
A l'origine dans la chapelle principale de l'église Santa Maria in Porto Fuori à Ravenne, elle fut par la suite transportée (1550 env.), avec les chanoines de Saint-Jean de Latran auxquels elle appartenait, dans l'église Santa Maria in Porto, à l'intérieur des murs de la ville. Aux pieds du trône, sur la droite, est représenté le bienheureux Pietro degli Onesti, qui fonda Santa Maria in Porto Fuori à la suite d'un vœu fait à la Vierge qui l'avait sauvé d'un naufrage au retour d'un pèlerinage en Terre Sainte.

Geminiano Benzoni
(Emilie, documenté de 1489 à 1513)
Saint Paul
Peinture à l'huile sur bois, 52x37 cm
Don d'Anna Fumagalli Sessa (1932).

Niccolò Pisano
(Pise 1470-1538)
Vierge à l'Enfant
Peinture à l'huile sur bois, 40x34 cm
A Brera depuis 1904.

Marco Palmezzano
(Forlì 1459/63-1539)
Adoration de l'Enfant
Peinture à l'huile sur bois, 227x135 cm
Signée et datée 1492 (?).
A Brera depuis 1809, provenant de la confrérie des Bianchi di Valverde à Forlì.

Girolamo Marchesi
(Cotignola, Ravenne 1480? - Bologne après 1531)
La descente de croix
Peinture à l'huile sur bois reportée sur toile, 172x148 cm

Marco Palmezzano
Couronnement de la Vierge avec saint François et saint Benoît
Peinture à l'huile sur bois, 160x125 cm
Signée. A Brera depuis 1811, provenant de l'église des Observantins à Cotignola (Ravenne).

Marco Palmezzano
Vierge à l'Enfant avec saint Jean-Baptiste, saint Pierre, saint Dominique et sainte Marie-Madeleine
Peinture à l'huile sur bois, 170x158 cm
Signée et datée 1493. A Brera depuis 1809, provenant de la confrérie des Bianchi di Valverde à Forlì.

Dosso Dossi, *Saint Sébastien.*

Niccolò Rondinelli
(Ravenne 1450 env. - 1510 env.)
Vierge à l'Enfant avec saint Nicolas, saint Pierre, saint Barthélémy et saint Augustin
Peinture à l'huile sur bois, 269x220 cm
A Brera depuis 1811, provenant de San Domenico à Ravenne.

Francesco Zaganelli
(Cotignola, Ravenne, 1460/70 env. - Ravenne 1532)
et **Bernardino Zaganelli**
(Cotignola, Ravenne, 1460/70 env. - après 1509)
Vierge à l'Enfant avec saint Jean-Baptiste et saint Florian
Peinture à l'huile sur bois, 197x160 cm
A Brera depuis 1899.

SALLE XXIII

Antonio Allegri, dit le Corrège
(Correggio, Reggio Emilia, 1489-1534)
La Nativité
Peinture à l'huile sur bois, 79x100 cm
A Brera depuis 1913, provenant de la collection Benigno Crespi.

Marco Palmezzano, *Vierge à l'Enfant avec des saints.*

Michelangelo Anselmi
(Lucques 1492 env. - Parme 1554 env.)
Saint Jérôme et sainte Catherine d'Alexandrie
Peinture à l'huile sur toile, 155x110 cm
A Brera depuis 1901, provenant de l'église San Francesco del Prato à Parme.

Le Corrège
Adoration des Mages
Peinture à l'huile sur toile, 84x108 cm
A Brera depuis 1895, provenant de l'archevêché de Milan (legs du cardinal Monti).

Francesco Raibolini, dit Francia
(Bologne 1450 env. - 1517)
L'Annonciation
Détrempe sur bois reportée sur toile, 237x227 cm
Provenant de l'église San Francesco à Mantoue.

Ercole de' Roberti, *Vierge à l'Enfant en trône avec des saints et le bienheureux Pietro degli Onesti.*

Le Corrège, *Adoration des Mages*.

Le Corrège, *La Nativité*.

Salle de Piero della Francesca et de Raphaël

Certains des plus grands chefs-d'œuvre de la Pinacothèque de Brera sont réunis ici, à commencer par la *Vierge et des saints avec Frédéric de Montefeltro* de Piero della Francesca. Il s'agit d'une œuvre majeure de la production de ce peintre, imprégnée de cette culture de la perspective que dans sa jeunesse il assimila à Florence, où il eut l'occasion de travailler avec Domenico Veneziano aux fresques à présent perdues de l'église Sant'Egidio.

Aux conquêtes de sa formation - un équilibre parfait entre les formes, la lumière et la couleur - s'ajoute l'influence habituelle de la peinture flamande, visible dans le rendu minutieux des personnages et des architectures. Le curieux motif de l'œuf pendant du coquillage serait, selon la littérature mystique médiévale, une allusion à la conception du Christ à travers le Saint-Esprit.

Le *Mariage de la Vierge* de Raphaël, signé et daté 1504, vers la fin de la période de jeunesse de l'artiste, est une composition inspirée par de célèbres œuvres de son maître le Pérugin telles que la fresque de la *Remise des clefs* dans la chapelle Sixtine. Par rapport aux modèles du Pérugin, Raphaël insiste cependant sur une mise en scène théâtrale, centrant sa composition sur le petit temple ; ainsi, le rendu de la perspective laisse aux personnages - définis par un dessin précieux et une lumière limpide - une grande liberté d'évoluer dans l'espace.

Le *Christ à la colonne* (provenant de l'abbaye de Chiaravalle) est l'une des rares œuvres peintes de Donato Bramante qui nous restent. On y retrouve clairement les fondements de la culture de la perspective que l'artiste mit au point au contact de la cour d'Urbino, mais aussi l'enseignement de Léonard de Vinci dans la définition précise du corps humain et peut-être du beau paysage à l'arrière-plan. Des caractéristiques de Bramante sont précisément la tentative de rendre la figure en trompe-l'œil, presque comme s'il s'agissait d'une sculpture, et la présence de motifs décoratifs d'inspiration classique que l'on retrouve dans ses réalisations architecturales comme l'église Santa Maria presso San Satiro à Milan.

Luca Signorelli, un artiste de Cortone, est représenté ici par une *Vierge à l'Enfant* et par une *Flagellation du Christ* qui à l'origine étaient réunies et formaient un étendard de procession. La *Flagellation*, qui constituait la partie postérieure de l'étendard, est inspirée du point de vue iconographique par la peinture de Piero della Francesca sur le même sujet, conservée à Urbino. Par rapport au modèle de Piero della Francesca cependant, Signorelli met l'accent sur les éléments plastiques et spatiaux plutôt que sur ceux ayant trait à la perspective, comme c'est du reste visible dans les torsions difficiles des corps nus des gardes, éclairés par une lumière presque rasante qui en met la musculature en relief.

Piero della Francesca
(Borgo San Sepolcro 1415 env. - 1492)
La Vierge et des saints avec Frédéric de Montefeltro orant
Peinture sur bois, 251x172 cm
A Brera depuis 1811, provenant de l'église San Bernardino, près d'Urbino.
L'emplacement d'origine de cette peinture sur bois fait l'objet de controverses ; peut-être se trouvait-elle dans l'église San Donato dell'Osservanza (le lieu de sépulture de Frédéric de Montefeltro), d'où elle fut ensuite transportée dans l'église San Bernardino. Sa datation est également controversée et va de la fin des années 1470 à la fin des années 1480.
Ce tableau – souvent indiqué comme la Sainte Conversation la plus significative du XVe siècle – décrit la rencontre du commanditaire, Frédéric de Montefeltro, duc d'Urbino, avec la Vierge, entourée de six saints : à gauche, saint Jean-Baptiste, saint Bernardin et saint Jérôme ; à droite, saint François, saint Pierre martyr et un autre saint (saint Jean l'Évangéliste?) tenant un libre richement relié. La Vierge est flanquée de quatre archanges portant de précieux bijoux, et son bonnet était également orné d'un gros bijou, comme nous l'ont appris les photographies faites aux rayons X.
Le commanditaire agenouillé à la droite de Marie porte une armure étincelante et fort détaillée (dans laquelle se reflète même une fenêtre), identifiée comme étant une création de l'école des Missaglia à Milan.

Raphaël
(Urbino 1483 - Rome 1520)
Le Mariage de la Vierge
Peinture à l'huile sur bois, 170x118 cm
Signée et datée 1504.
A Brera depuis 1806.
Commanditée par la famille Albizzini pour la chapelle de Saint Joseph dans l'église San Francesco de Città di Castello, elle y resta jusqu'en 1798, date à laquelle le gouvernement de la ville fut forcé à l'offrir en signe de reconnaissance à Giuseppe Lechi, général de l'armée napoléonienne. Trois ans plus tard elle fut revendue au comte Sannazzari, un collectionneur milanais, qui en 1804 la légua à l'Ospedale Maggiore de Milan. En 1805 elle fut achetée pour la pinacothèque.
Le pôle central de ce chef-d'œuvre de jeunesse de l'artiste est le temple polygonal qui rappelle les architectures de Bramante et sert de charnière entre la splendide place de marbre dessinée selon le *De prospectiva pingendi* de Piero della Francesca et le groupe de personnages disposés en une symétrie parfaite le long de demi-cercles tangents.

Donato Bramante
(Fermignano, Pesaro, 1444 - Rome 1514)
Le Christ à la colonne
Peinture sur bois, 93,7x 62,5 cm
A Brera depuis 1915, en dépôt de l'abbaye de Chiaravalle à Milan.

Piero della Francesca,
La Vierge et des saints avec Frédéric de Montefeltro orant.

Luca Signorelli
(Cortone 1450 env. - 1523)
La Flagellation
La Vierge du lait
Détrempe sur bois, 84x60 cm (chacune)
A Brera depuis 1811.
Ces deux panneaux, qui constituaient le recto et le verso d'un étendard de procession, proviennent probablement de l'ancienne confrérie des Raccomandati, dont la chapelle se trouvait dans l'église Santa Maria del Mercato à Fabriano.
Les adeptes de cette confrérie se consacraient à des œuvres de bienfaisance et d'assistance et accomplissaient des actes de dévotion, participant à des processions vêtus de sacs et brandissant des étendards et des peintures dévotionnelles.
Le thème de la Vierge du lait est par contre lié au rôle des "oblates" de Santa Maria del Mercato, qui prenaient soin des enfants abandonnés.
La Vierge découvrant son sein dans le geste de l'offrir à l'Enfant qui à son tour l'indique au dévot est le symbole de la charité chrétienne et de l'allaitement.

Luca Signorelli, *La Flagellation.*

En bas : Luca Signorelli, *La Vierge du lait.*

Page ci-contre : Raphaël, *Le Mariage de la Vierge.*

RAPHAEL.VRBINAS
M
DIIII

Donato Bramante, *Le Christ à la colonne.*

Salle XXVII

Brera ne possède pas un grand nombre d'œuvres d'artistes maniéristes. Le *Portrait d'Andrea Doria en Neptune* est sans nul doute une intéressante réalisation du Florentin Agnolo Bronzino, dont le style est caractérisé par une représentation lucide et objective, une pureté des formes et l'utilisation d'une lumière froide et limpide. C'est une œuvre originale, qui trahit une influence prépondérante de la statuaire michélangelesque, en particulier du *Moïse* de Saint-Pierre-aux-Liens.
Salviati, lui aussi originaire de Florence, s'installa encore jeune à Rome, où il devint un personnage important dans le panorama artistique de la ville et un point de rencontre entre le maniérisme florentin de sa formation et la manière romaine, dominée par la personnalité de Raphaël comme l'atteste la toile représentant la *Lamentation*.
L'influence de Raphaël se fait également sentir dans la grande peinture sur bois de Girolamo Genga (*Vierge à l'Enfant avec des saints et les Docteurs de l'Église*), une œuvre complexe dans laquelle confluent de multiples sources d'inspiration et caractérisée dans l'ensemble par une sorte de style maniériste fort personnel.

Giovanni Antonio Sogliani
(Florence 1492-1544)
Sainte Catherine d'Alexandrie
Peinture à l'huile sur bois, 82x67 cm
Signée. Don des amis de Franco Russoli (1978).

Pietro di Giovanni Bonaccorsi, dit Perin del Vaga
(Florence 1501 - Rome 1547)
Le passage de la mer Rouge
Toile, monochrome, 118x201 cm
Achetée en 1826.

Agnolo Bronzino
(Monticelli, Florence, 1503 - Florence 1572)
Portrait d'Andrea Doria en Neptune
Peinture à l'huile sur toile, 115x53 cm
Ce tableau faisait partie de la collection de portraits d'hommes illustres de l'écrivain de Côme Paolo Giovio. Vasari nous informe que Bronzino l'exécuta lorsqu'il revint de Pesaro à Florence ; il est donc datable des années 1531-33. La représentation de l'amiral génois sous les traits de Neptune a un précédent dans une statue de bronze que la République de Gênes avait commanditée en 1528 à Baccio Bandinelli, et elle semble également inspirée par le portrait analogue peint par Sebastiano del Piombo qui se trouve à présent dans la galerie Doria Pamphilj à Rome.

Agnolo Bronzino, *Portrait d'Andrea Doria en Neptune.*

Girolamo Genga, *Vierge à l'Enfant avec des saints et les Docteurs de l'Église.*

Page ci-contre : Francesco Salviati, *Lamentation sur le Christ mort.*

Francesco de' Rossi, dit Salviati
(Florence 1510 - Rome 1563)
Lamentation sur le Christ mort
Peinture à l'huile sur toile, 322x193 cm
A Brera depuis 1811, provenant de l'église du Corpus Domini à Venise.

Luca Signorelli
(Cortone 1450 env. - 1523)
Vierge à l'Enfant en trône avec saint Jacques, saint Simon, saint François et saint Bonaventure
Détrempe sur bois, 227x185 cm
Signée et datée 1508. A Brera depuis 1811, provenant de la chapelle Filippini dans l'église San Francesco à Arcevia (Ancône).

Timoteo Viti
(Urbino 1469-1523)
La Vierge avec saint Sébastien et saint Jean-Baptiste
Peinture à l'huile sur bois, 260x182 cm

Girolamo Genga
(Urbino 1476 env. - 1551)
Vierge à l'Enfant avec des saints et les Docteurs de l'Église
Peinture à l'huile sur bois, 438x290 cm
A Brera depuis 1809, provenant de l'église Sant'Agostino à Cesena (Forlì).

Salle XXVIII

Dans cette salle sont rassemblés des tableaux d'artistes du XVIIe de l'école bolonaise. Les véritables chefs de file de l'école bolonaise de la fin du XVIe furent Annibal, Louis et Augustin Carrache, fondateurs de l'Accademia dei Desiderosi (qui devint ensuite l'Accademia degli Incamminati), une école qui proposait un renouvellement de la peinture à travers l'abandon du maniérisme et le retour au naturel, sans négliger cependant la grande leçon des maîtres du XVIe siècle.
De Louis, le plus âgé des trois, qui fut aussi directeur de l'Académie et eut donc l'occasion d'enseigner directement à plusieurs peintres bolonais de la génération suivante, on voit ici le *Christ et la Cananéenne*, un tableau qui trahit un moment de grande affinité avec le classicisme d'Annibal, et l'*Adoration des Mages*, une toile datant en revanche de la maturité de l'artiste, lorsqu'il semble revenir aux thèmes plus intimes et populaires qui caractérisent sa phase de jeunesse.
Des trois, Annibal fut celui qui travailla le plus longtemps en-dehors de Bologne, mais aussi qui apporta la plus grande contribution au renouvellement du langage pictural bolonais, comme l'atteste sa *Samaritaine au puits*, probablement exécutée en 1593-94 à en croire les affinités stylistiques qu'elle présente avec d'autres œuvres de cette époque comme la *Résurrection* du Louvre (1593).
Parmi les plus importants élèves des Carrache à Bologne et à Rome figure le Bolonais Guido Reni, duquel on peut voir ici la splendide toile représentant *Saint Pierre et saint Paul* ; l'harmonie de la composition et la rigueur des formes vont de pair avec une étude naturaliste issue des Carrache.
Dans le groupe d'élèves des Carrache, le plus jeune est Giovan Francesco Barbieri, dit le Guerchin, un artiste qui fera d'emblée preuve d'une inclination marquée pour un rendu naturaliste ; son style, fait de grandes taches obtenues par des étalements liquides de couleur et surtout par des coups de pinceau rapides et vibrants, se manifeste pleinement dans la belle toile représentant *Abraham répudiant Agar*, datable d'une phase avancée de son activité.

Guido Reni, dit le Guide
(Bologne 1575-1642)
Saint Pierre et saint Paul
Peinture à l'huile sur toile, 197x140 cm
A Brera depuis 1811, provenant de la collection Sampieri à Bologne.

Giovan Francesco Barbieri, dit le Guerchin
(Cento, Ferrare, 1591 - Bologne 1666)
Abraham répudiant Agar
Peinture à l'huile sur toile, 115x152 cm
A Brera depuis 1811, provenant de la collection Sampieri à Bologne.
Cette œuvre avait été commanditée en 1657 par la communauté de Cento qui voulait en faire don au cardinal Lorenzo Imperiali, légat de Ferrare.

Louis Carrache
(Bologne 1555-1619)
La prédication de saint Antoine abbé aux ermites
Peinture à l'huile sur toile, 320x210 cm
A Brera depuis 1809, provenant de l'église Sant'Antonio abate à Bologne.

Francesco Gessi
(Bologne 1588-1649)
Vierge à l'Enfant avec saint Laurent, saint Nicolas et sainte Françoise Romaine
Peinture à l'huile sur toile, 238x153,5 cm
A Brera depuis 1809, provenant de l'église Santa Maria dei Poveri à Crevalcore (Modène).

Annibal Carrache
(Bologne 1560 - Rome 1609)
La Samaritaine au puits
Peinture à l'huile sur toile, 170x225 cm
A Brera depuis 1811, provenant de la collection Sampieri à Bologne.

Louis Carrache
Le Christ et la Cananéenne
Peinture à l'huile sur toile, 170x225 cm
A Brera depuis 1811, provenant de la collection Sampieri à Bologne.

Louis Carrache
Adoration des Mages
Peinture à l'huile sur toile, 260x175 cm
Signée et datée 1616.

Guido Reni, *Saint Pierre et saint Paul.*

Guerchin, *Abraham répudiant Agar.*

Annibal Carrache, *La Samaritaine au puits.*

A Brera depuis 1809, provenant de l'église Santa Maria dei Battisti à Crevalcore (Modène).

Federico Fiori, dit le Baroche
(Urbino 1528-1612)
Martyre de saint Vital
Peinture à l'huile sur toile, 302x268 cm
Signée et datée 1583
A Brera depuis 1811, provenant de l'église San Vitale à Ravenne.

Salle XXIX

Dans cette petite salle est exposée la célèbre toile du Caravage représentant le *Repas d'Emmaüs* (1606 env.). Par rapport à la toile sur le même sujet conservée à la National Gallery de Londres - et antérieure de près de dix ans - le Caravage a choisi de situer cette nouvelle représentation dans une ambiance plus sombre, mettant l'accent sur l'élément émotif à travers une utilisation savante de la lumière et des ombres plus que par l'ostentation des gestes.
Autour de cet important tableau on peut voir une série d'œuvres d'artistes de l'école caravagesque. Parmi ceux-ci, le Napolitain Battistello Caracciolo, dont est exposée ici la *Samaritaine au puits*, joua un rôle important ; il fut l'un des premiers peintres à assimiler les innovations du Caravage, en particulier l'importance accordée à la lumière. Le naturalisme et le luminisme caravagesques furent portés à l'extrême par Jusepe de Ribera, un artiste espagnol actif à Naples dont le style se distingue par un réalisme cru et l'importance accordée à des détails violents et souvent macabres, comme dans le *Saint Jérôme pénitent.*
D'Orazio Gentileschi, Pisan d'origine mais actif dans le milieu romain, on peut voir ici la toile représentant *Les martyrs Valérien, Tiburce et Cécile*, que les critiques considèrent comme une de ses œuvres se rapprochant le plus du Caravage, en particulier de la *Mort de la Vierge* conservée au Louvre.
La phase la plus caravagesque de Mattia Preti, un peintre désormais baroque, est bien illustrée par la toile représentant *Une mère confiant ses enfants au Rédempteur* ; généralement, cet artiste utilise des effets de lumière rasante inspirés par le Caravage, en les adaptant à des compositions de foule ou à des personnages en mouvement, souvent devant des arrière-plans architecturaux.

Mattia Preti
(Taverna, Catanzaro, 1613 - La Valette 1699)
Une mère confiant ses enfants au Rédempteur
Peinture à l'huile sur toile, 143x193 cm
Don d'Eugène de Beauharnais (1812).

École du Caravage
Saint Sébastien
Peinture à l'huile sur toile, 134x99 cm
A Brera depuis 1811, provenant de l'archevêché de Milan (legs du cardinal Monti).

Orazio Gentileschi
(Pise 1563 - Londres 1639)
Les martyrs Valérien, Tiburce et Cécile
Peinture à l'huile sur toile, 350x218 cm
Autrefois dans l'église Santa Cecilia à Côme.

Giovan Battista Caracciolo, dit Battistello
(Naples 1578-1635)
La Samaritaine au puits
Peinture à l'huile sur toile, 200x165 cm
Sigle: GB.A.
A Brera depuis 1820 à la suite d'un échange.

Jusepe de Ribera, dit Spagnoletto ou l'Espagnolet
(Játiva 1591 - Naples 1652)
Saint Jérôme pénitent
Peinture à l'huile sur toile, 109x82 cm
Achetée en 1886.

Mattia Preti
Le paiement du tribut
Peinture à l'huile sur toile, 143x193 cm
Don d'Eugène de Beauharnais (1812).

Michelangelo Merisi, dit le Caravage
(Caravaggio, Bergame, 1573 - Porto Ercole 1610)
Le repas d'Emmaüs
Peinture à l'huile sur toile, 141x175 cm
Don des Amis de Brera (1939).
Cette toile fut acheté au marquis Patrizi, à la famille duquel elle appartenait depuis 1624. Elle représente une maturation définitive dans le cheminement artistique du Caravage et peut être datée 1605-1606.

Orazio Gentileschi,
Les martyrs Valérien, Tiburce et Cécile.

Le Caravage, *Le repas d'Emmaüs*.

Mattia Preti, *Une mère confiant ses enfants au Rédempteur*.

Salle XXX

Cette petite salle contient une sélection de tableaux exécutés par des artistes lombards actifs au XVIIe siècle. Parmi ceux-ci, Giulio Cesare Procaccini, originaire de Bologne mais actif à Milan, duquel sont exposées plusieurs toiles. On remarquera en particulier le *Mariage mystique de sainte Catherine*. Tout comme la *Marie-Madeleine*, ce tableau fait partie d'un groupe fourni d'œuvres à thème religieux destinées à la dévotion des particuliers, que l'artiste exécuta à partir du milieu de la deuxième décennie du siècle et dans lequel on remarque l'influence du maniérisme émilien et un traitement pictural "à facettes", en particulier dans les drapés.
Un contemporain de Procaccini, Giovan Battista Crespi, dit Cerano, trahit encore un certain maniérisme dans des représentations aux poses fort étudiées. Son intense *Vierge au rosaire* est l'œuvre qui reflète le mieux le climat de la Contre-Réforme lombarde dont Cerano fut la principale personnalité artistique.
Dans la même génération d'artistes, Pier Francesco Mazzucchelli, dit Morazzone, est célèbre pour ses splendides fresques des chapelles des Sacri Monti de Varese, Orta et Varallo, d'un grand naturalisme et d'un réalisme brutal, dont le style est analogue à celui de la toile de cette pièce, représentant l'*Extase de saint François*.
Les trois artistes cités exécutèrent en collaboration une intéressante toile représentant le *Martyre de sainte Rufina et sainte Seconda*, connu comme "tableau à trois mains".
C'est à la génération suivante qu'appartiennent Francesco Cairo, un artiste qui se distingue par un pathétisme exacerbé et la langueur exténuée de ses personnages (*Christ au jardin des Oliviers*), et Daniele Crespi, élève du Cerano, dont on voit ici une *Cène* inspirée par celle que Gaudenzio Ferrari peignit pour Santa Maria della Passione. A la fin de sa carrière cet artiste eut en effet tendance à réinterpréter des exemples influents, se basant sur un classicisme naturaliste des formes et une expressivité marquée, où le dessin joue un rôle prédominant.

Antonio d'Enrico, dit Tanzio da Varallo
(Riale d'Alagna, Vercelli, 1580 env. - Varallo Sesia, Vercelli, 1632/33)
Le martyre des franciscains à Nagasaki
Peinture à l'huile sur toile, 115x80 cm
A Brera depuis 1811, provenant du couvent delle Grazie à Varallo.

Francesco Cairo
(Milan 1607-1665)
Le Christ au jardin des Oliviers
Peinture à l'huile sur toile, 76x62 cm
Don des Amis de Brera (1964), provenant de la collection Cugini à Bergame.

Pier Francesco Mazzucchelli, dit Morazzone
(Morazzone, Varèse, 1573 - avant mai 1626)
Saint François
Peinture à l'huile sur toile, 99x75 cm
Don de Paolo D'Ancona (1949).

Daniele Crespi
(Busto Arsizio 1597/1600 - Milan 1630)
La Cène
Peinture à l'huile sur toile, 335x220 cm
A Brera depuis 1805, provenant du couvent des bénédictines à Brugora, en Brianza.

Giovan Battista Crespi, dit Cerano
(Novare?, 1575 env. - Milan 1632)
L'extase de saint François
Peinture à l'huile sur toile, 93,5x74 cm
Donnée à Brera en 1969, provenant de la collection Poletti.

Giulio Cesare Procaccini
(Bologne 1574 - Milan 1625)
Mariage mystique de sainte Catherine
Peinture à l'huile sur toile, 149x145 cm
A Brera depuis 1896, provenant de l'archevêché de Milan (legs du cardinal Monti).

Giulio Cesare Procaccini, en collaboration avec Cerano et Morazzone
Martyre de sainte Rufina et sainte Seconda ("tableau à trois mains")
Peinture à l'huile sur toile, 192x192 cm
A Brera depuis 1896, provenant de l'archevêché de Milan (legs du cardinal Cesare Monti).

Giulio Cesare Procaccini
Saint Jérôme
Peinture à l'huile sur toile, 165x65 cm
A Brera depuis 1805, provenant de l'église du Gesù à Pavie.

Giulio Cesare Procaccini
Sainte Cécile
Peinture à l'huile sur toile, 165x65 cm
A Brera depuis 1805, provenant de l'église du Gesù à Pavie.

Cerano
La Vierge au rosaire
Peinture sur toile, 275x218 cm
A Brera depuis 1805, provenant du monastère de San Lazzaro à Milan.

Francesco Cairo
Portrait de Luigi Scaramuccia
Peinture à l'huile sur toile, 95x73 cm
Achetée en 1806.

Giulio Cesare Procaccini
Marie-Madeleine
Peinture à l'huile sur toile, 135x97 cm
A Brera depuis 1811, provenant de l'archevêché de Milan (legs du cardinal Monti).

Page ci-contre :
Daniele Crespi, *La Cène*.

PANEM ANGELORVM MANDVCAVIT HOMO

Giulio Cesare Procaccini, en collaboration avec Cerano et Morazzone, *Martyre de sainte Rufina et sainte Seconda* (*"tableau à trois mains"*).

Giulio Cesare Procaccini, *Mariage mystique de sainte Catherine.*

Salle XXXI

Dans cette grande salle sont exposés des tableaux de quelques importants représentants de la peinture italienne baroque.
L'un des principaux peintres baroques romains est sans aucun doute Pierre de Cortone, un maître qui fit preuve d'un grand talent de décorateur, exécutant des compositions aussi complexes que fastueuses, comme les célèbres fresques du palais Barberini à Rome ou celles du palais Pitti à Florence. On peut admirer ici sa *Vierge à l'Enfant et quatre saints*, qui illustre bien ses critères de composition, basés sur la présence d'architectures, de paysages à l'arrière-plan et un caractère monumental des personnages, avec un excellent sens des couleurs.
Pendant le séjour qu'il fit en Italie, le Hollandais Pieter Paul Rubens donna une impulsion considérable à la diffusion en Italie du style baroque. De ce maître est exposée ici la grande peinture sur bois représentant la *Cène*, pour laquelle il existe une ébauche préparatoire au musée Pouchkine de Moscou. Cette œuvre est datable des dernières années de l'activité de Rubens (1631-32), et l'on pense que pour son exécution l'artiste se fit aider par des collaborateurs, une pratique fréquente en raison des commandes que l'artiste recevait continuellement au cours de ces années.
Un autre étranger qui séjourna un certain temps en Italie, en particulier à Gênes, fut Anton van Dyck, un élève de Rubens, auteur de la *Vierge à l'Enfant avec saint Antoine de Padoue*. Il s'agit de l'une des œuvres les plus "italiennes" de cet artiste flamand; les critiques, qui la datent vers 1630, y ont vu l'influence de Titien.
Parmi les peintres génois qui furent les premiers influencés par l'œuvre de Rubens et Van Dyck l'on trouve Bernardo Strozzi, sur les compositions duquel la connaissance des caravagesques eut également une influence déterminante. On peut voir ici la toile représentant le *Petit saint Jean* et le *Portrait d'un chevalier de Malte*, un excellent exemple de son talent de portraitiste.
Evaristo Baschenis, originaire de Bergame où, selon toute probabilité, il vécut et travailla toute sa vie, occupe sans aucun doute une place importante dans le panorama de la peinture du XVIIe. Les natures mortes dans des intérieurs de cuisines ou les rigoureuses compositions d'instruments de musique d'où sont absents les portraits constituent le fil conducteur de sa recherche artistique fort personnelle.

Luca Giordano
(Naples 1632-1705)
Vierge à l'Enfant en gloire avec saint Joseph et saint Antoine de Padoue
Peinture à l'huile sur toile, 365x224 cm
A Brera depuis 1809, provenant de l'église Santo Spirito à Venise.

Gioacchino Assereto
(Gênes 1600 env. - 1649)
La Circoncision
Peinture à l'huile sur toile, 228x163 cm
A Brera depuis 1838.

Orazio De Ferrari
(Voltri, Gênes, 1606 - Gênes 1657)
Ecce Homo
Peinture à l'huile sur toile, 95x118 cm
Provenant de l'archevêché de Milan (legs du cardinal Monti).

Anton van Dyck
(Anvers 1599 - Londres 1641)
Vierge à l'Enfant et saint Antoine de Padoue
Peinture à l'huile sur toile, 189x158 cm
A Brera depuis 1813 à la suite d'un échange avec le Louvre.

Joachim von Sandrart
(Francfort 1606 - Nuremberg 1688)
Le bon Samaritain
Peinture à l'huile sur toile, 133x133 cm
Signée et datée 1632. Achetée en 1830/1831.

Jacob Jordaens
(Anvers 1593-1678)
Le sacrifice d'Isaac
Peinture à l'huile sur toile, 242x155 cm
A Brera depuis 1813 à la suite d'un échange avec le Louvre.

Pieter Paul Rubens
(Siegen 1577 - Anvers 1640)
La Cène
Peinture à l'huile sur bois, 304x250 cm
A l'origine cette œuvre se trouvait dans la chapelle du Saint-Sacrement de l'église Saint-Rambaud à Malines. Elle comptait deux prédelles représentant l'*Entrée dans Jérusalem* et le *Lavement des pieds*, à présent au Musée des Beaux-Arts de Dijon.
Elle est arrivée à Brera à la suite d'un échange avec le Louvre, où elle avait été placée en dépôt en 1794.

Evaristo Baschenis
(Bergame 1617-1677)
Instruments de musique
Peinture à l'huile sur toile, 60x88 cm
Signée. Achetée en 1912.

Felice Boselli (?)
(Plaisance 1650 - Parme 1732)
Nature morte
Peinture à l'huile sur toile, 64x69 cm

Felice Boselli (?)
Gibier mort
Peinture à l'huile sur toile, 64x68 cm

Bernardo Strozzi
(Gênes 1581 - Venise 1644)
Portrait d'un chevalier de Malte
Peinture à l'huile sur toile, 129x98 cm
Don de Casimiro Sipriot (1904).

Jan Fyt
(Anvers 1611-1661)
Gibier mort
Gibier mort
Peintures à l'huile sur toile, 106x145 cm (chacune)
A Brera depuis 1813, provenant des Galeries de l'Académie de Venise.

Joseph Heintz le Jeune
(Augsbourg 1600 env. - Venise 1678)
Vanitas
Peinture à l'huile sur toile, 130x177 cm
Achetée en 1983.

Evaristo Baschenis, *Instruments de musique.*

Bernardo Strozzi, *Portrait d'un chevalier de Malte.*

Evaristo Baschenis
Nature morte (cuisine)
Peinture à l'huile sur toile, 97x145 cm
Signée. Achetée en 1915.

Bernardo Strozzi
Le petit saint Jean
Peinture à l'huile sur toile, 70x55 cm
A Brera depuis 1855, legs de Pietro Oggioni.

Pietro Berrettini, dit Pierre de Cortone
(Cortone 1596 - Rome 1669)
Vierge à l'Enfant avec saint Jean-Baptiste, saint Félix de Cantalice, saint André et sainte Catherine
Peinture à l'huile sur toile, 296x205 cm
Signée. A Brera depuis 1811, provenant de l'église des Capucins à Amandola (Ascoli Piceno).

Pierre de Cortone, *Vierge à l'Enfant avec des saints.*

Pieter Paul Rubens, *La Cène.*

Salles XXXII et XXXIII

Brera possède un nombre assez consistant d'œuvres d'artistes étrangers, bien que de qualité inégale et de provenances différentes. Ces deux petites salles offrent une sélection de ce matériel, qui ne peut bien sûr être exposé dans sa totalité. La visite commence par une peinture sur bois représentant l'*Adoration des Mages* et attribuée à un anonyme Maître d'Anvers de 1518 ou, selon d'autres interprétations, au Maître de la Virgo inter Virgines. Quoiqu'il en soit, il s'agit d'un artiste clairement influencé par Rogier van der Weyden.

On voit ensuite un triptyque de modestes dimensions de Jean de Beer, exécuté vers le milieu de la deuxième décennie du XVIe pour une église de Venise. Il s'agit peut-être du chef-d'œuvre de cet artiste d'Anvers, et cette composition d'une grande recherche de couleurs met en scène une foule de personnages, d'architectures et d'échappées de paysages.

Enfin on peut voir une *Extase de saint François* attribuable à l'atelier de Dhominikos Theotokopoulos, dit le Greco. C'est là un thème assez fréquent dans sa production, et il en existe une quarantaine de versions, souvent réalisées avec la collaboration de son atelier.

La salle XXXIII rassemble quant à elle des œuvres d'artistes flamands et hollandais de la fin du XVIe et du XVIIe. De Jan Bruegel, on peut voir un *Village*, caractéristique du style de ce peintre en raison de l'attention apportée aux détails pleins de virtuosité et de la vivacité des couleurs.

Bien qu'il soit siglé et daté 1632, les critiques tendent à attribuer l'ovale représentant le *Portrait de jeune fille* non plus à Rembrandt mais à son école. L'identification de la jeune fille représentée ici a fait l'objet de maintes discussions ; de nos jours on croit y reconnaître la femme, ou plus probablement la sœur, du peintre.

Le *Portrait de dame* - que l'on croyait autrefois être un *Portrait d'Amelia de Solms*, princesse d'Orange - est une œuvre d'Anton van Dyck. Il s'agit d'un tableau fort intéressant, inspiré par le *Portrait de Marie de Médicis* de Rembrandt, à présent au musée du Prado à Madrid.

Salle XXXII

Maître d'Anvers de 1518
(Anvers, XVIe siècle)
Adoration des Mages
Peinture sur bois,
106x72 cm

École d'Anvers du XVIe siècle (Jan de Beer?)
Saint Luc peignant la Vierge à l'Enfant
Détrempe sur toile,
93,5x145 cm
A Brera depuis 1896,
provenant de l'archevêché
de Milan (legs du cardinal
Monti).

Jan de Beer
(Anvers, documenté de 1504 à 1536)
Adoration des Mages, Naissance de Jésus et *Repos au cours de la fuite en Égypte*
Peinture à l'huile sur bois,
156x123 cm (panneau central), 156x58 cm (chaque panneau latéral)
A Brera depuis 1808.

Maître des demi-figures
(flamand, seconde moitié du XVe siècle)
Sainte Catherine
Peinture à l'huile sur bois,
45x36 cm

Herman Rode
(Lübeck, documenté de 1485 à 1504)
Portrait d'homme
Peinture à l'huile sur bois,
35x27 cm
A Brera depuis 1855, legs de Pietro Oggioni.

Dhominikos Theotokopoulos, dit le Greco
(Candie 1541 - Tolède 1614)
Saint François
Peinture à l'huile sur toile,
108x66 cm
Signée.

Salle XXXIII

Dirk van Santvoort
(Amsterdam 1610-1680)
Portrait de jeune homme
Peinture à l'huile sur toile,
190x120 cm
Signée et datée 1643.
A Brera depuis 1927.

Anton van Dyck
(Anvers 1599 - Londres 1641)
Portrait de dame
(Amelia de Solms?)
Peinture à l'huile sur toile,
140x107 cm
A Brera depuis 1813 à la suite d'un échange avec le Louvre.

Pieter Paul Rubens
(Siegen 1577 - Anvers 1640)
La nymphe Syrinx poursuivie par Pan
Peinture à l'huile sur bois,
33x43 cm
A Brera depuis 1855, legs de Pietro Oggioni.

Nicolaus Knüpfer
(Leipzig 1603 env. - Utrecht 1660)
La parabole du riche Épulon
Peinture à l'huile sur bois,
28x45 cm
A Brera depuis 1855, legs de Pietro Oggioni.

Rembrandt, Harmenszoon van Rijn
(Leyde 1606 - Amsterdam 1669)
Portrait de la sœur de l'artiste
Peinture à l'huile sur bois,
60x50 cm
Signée et datée 1632. A Brera depuis 1813 à la suite d'un échange avec le Louvre.

Jan Philips van Thielen
(Malines 1618 - Boisschot 1667)
Vertumne et Pomone parmi les fleurs
Peinture à l'huile sur toile,
86x66 cm
Signée et datée 1648.
A Brera depuis 1822.

Jan van Goyen
(Leyde 1596 - La Haye 1656)
Marine
Peinture à l'huile sur bois,
36x46 cm
A Brera depuis 1832.

Jan Bruegel l'Ancien
(Bruxelles 1568 - Anvers 1625)
Village
Peinture à l'huile sur cuivre,
21x32 cm
Signée et datée 1617. A Brera depuis 1809.

Abraham Goovaerts
(Anvers 1589-1626)
Une forêt
Peinture à l'huile sur bois,
53x79 cm
Signée et datée 1615.
Don du marquis Stampa Soncino (1876).

Maître d'Anvers de 1518, *Adoration des Mages.*

En bas : Jan de Beer, *Adoration des Mages, Naissance de Jésus* et *Repos au cours de la fuite en Égypte.*

Anton van Dyck, *Portrait de dame (Amelia de Solms?).*

En bas à gauche : Rembrandt, *Portrait de la sœur de l'artiste.*

En bas à droite : Maître des demi-figures, *Sainte Catherine.*

Page ci-contre : Maître d'Anvers de 1518, *Adoration des Mages*, détail.

Salle XXXIV

Nous voyons ici des œuvres de certains des plus importants artistes du XVIIIe siècle italien, en général des tableaux de grand format à sujet religieux.
Du Bolonais Giuseppe Maria Crespi, un artiste éclectique également connu pour ses scènes de genre, est exposée une *Crucifixion* exécutée à la fin des années 1720. Elle atteste d'une certaine adhésion de l'artiste à la tradition des tableaux historiques.
La grande peinture vénitienne du XVIIIe, mieux représentée dans la salle suivante, est annoncée ici par deux toiles de Sebastiano Ricci et par la *Vierge du Carmel* de Giovan Battista Tiepolo. Dans ce tableau spectaculaire, peint pour l'église Sant'Apollinare à Venise, l'artiste a voulu se confronter, selon les critiques, avec le style de Piazzetta ; mais en même temps il semble reprendre des éléments de grands modèles vénitiens du XVIe comme le *Retable de saint Zacharie* de Véronèse (Venise, Galeries de l'Académie).
Le Napolitain Francesco Solimena est représenté par deux petites toiles représentant *La rencontre de Ratchis, roi des Lombards, avec le pape Zacharie* et *Saint Willibald demandant la bénédiction du pape Grégoire III*, des études préparatoires pour les fresques du Mont-Cassin, à présent détruites. Deux autres artistes napolitains sont représentés ici. Il s'agit de Luca Giordano, avec un rare *Ecce Homo*, emblématique du style de ce peintre et inspiré semble-t-il par une estampe de Dürer, et de Nicola Malinconico, dont on voit ici deux ébauches témoignant de l'influence de Solimena. Le Romain Pompeo Batoni est l'auteur d'une *Sainte Conversation*, un retable d'inspiration classique et l'une des premières œuvres à sujet religieux de cet artiste qui deviendra un protagoniste de la vie artistique romaine du XVIIIe.

Pompeo Batoni
(Lucques 1708 - Rome 1787)
Vierge à l'Enfant avec saint Joseph, saint Zacharie, sainte Élisabeth et le petit saint Jean
Peinture à l'huile sur toile, 403x288 cm
A Brera depuis 1806, provenant de l'église Santi Cosma e Damiano alla Scala à Milan.

Carlo Innocenzo Carloni
(Scaria d'Intelvi, Côme, 1683-1775)
Le triomphe de la foi
Peinture à l'huile sur toile, 57,5x57,5 cm
Donnée à Brera en 1936.

Nicola Malinconico
(Naples 1663-1721)
Josué arrêtant le soleil
Peinture à l'huile sur toile, 108x114 cm
Achetée en 1962.

Francesco Solimena
(Canale di Serino, Avellino, 1657 - Barra, Naples, 1747)
Remise de la règle à saint Benoît (maintenant : *Saint Willibald demandant la bénédiction du pape Grégoire III avant de partir évangéliser les Saxons*)
Peinture à l'huile sur toile, 43x75 cm
A Brera depuis 1805.

Luca Giordano
(Naples 1634-1705)
Ecce Homo
Peinture à l'huile sur toile, 158x155 cm
A Brera depuis 1979.

Francesco Solimena
Saint Léon le Grand allant à la rencontre d'Attila (maintenant : *La rencontre de Ratchis, roi des Lombards, avec le pape Zacharie pendant le siège de Pérouse*)
Peinture à l'huile sur toile, 43x75 cm
A Brera depuis 1805.

Nicola Malinconico
Le transport de l'Arche sainte
Peinture à l'huile sur toile, 108x102 cm
Achetée en 1962.

Giovan Battista Tiepolo
(Venise 1696 - Madrid 1770)
La Vierge du Carmel et les âmes du Purgatoire
Peinture à l'huile sur toile, 210x650 cm
Ce tableau fut donné à Brera en 1925 par la famille Chiesa, qui l'avait acheté aux enchères partagé en deux. Il provient de l'église Sant'Apollinare à Venise, où il se trouvait dans la chapelle de la confrérie du Carmel, consacrée aux prières pour le salut des âmes du Purgatoire.

Martin Knoller
(Steinach 1725 - Milan 1804)
L'Assomption de la Vierge
Peinture à l'huile sur bois, 96x53 cm

Giuseppe Bottani
(Crémone 1717 - Mantoue 1784)
Le départ de sainte Paule Romaine pour la Terre Sainte
Peinture à l'huile sur toile, 410x231 cm
Signée et datée 1745. A Brera depuis 1806, provenant de l'église Santi Cosma e Damiano alla Scala à Milan.

Pierre Subleyras
(Saint-Gilles-du-Gard 1699 - Rome 1749)
Saint Jérôme
Peinture à l'huile sur toile, 408x232 cm
Signée et datée 1739. A Brera depuis 1806, provenant de l'église Santi Cosma e Damiano alla Scala à Milan.

Sebastiano Ricci
(Belluno 1659 - Venise 1734)
Saint Gaétan réconfortant un moribond
Peinture à l'huile sur toile, 222x134 cm
Achetée en 1919.

Giuseppe Maria Crespi
(Bologne 1665-1747)
La Crucifixion
Peinture à l'huile sur toile, 291,5x187 cm
A Brera depuis 1811, provenant de l'église Santa Maria Egiziaca à Bologne.

Ubaldo Gandolfi
(Bologne 1728 - Ravenne 1781)
Saint François recevant les stigmates
Peinture à l'huile sur toile, 263x180 cm
A Brera depuis 1811, provenant de l'église Santo Spirito à Cingoli (Macerata).

Sebastiano Ricci (?)
Le martyre de saint Érasme
Peinture à l'huile sur toile, 118x95 cm
Achetée en 1978/79.

Pierre Subleyras
Crucifixion avec Marie-Madeleine, saint Eusèbe et saint Philippe Neri
Peinture à l'huile sur toile, 408x238 cm
Signée et datée 1744. A Brera depuis 1806.

Pompeo Batoni, *Vierge à l'Enfant avec saint Joseph, saint Zacharie, sainte Élisabeth et le petit saint Jean.*

Francesco Solimena, *Saint Léon le Grand allant à la rencontre d'Attila.*

En haut : Giovan Battista Tiepolo, *La Vierge du Carmel et les âmes du Purgatoire.*

Salle XXXV

Cette salle propose un répertoire significatif de la peinture vénitienne du XVIIIe.
Rébecca au puits est l'une des œuvres les plus célèbres de Giovan Battista Piazzetta, et les critiques y ont vu l'influence d'une œuvre de Rubens à présent au Louvre, ce qui confirme l'étendue européenne des sources d'inspiration de cet artiste vénitien. Le style de Piazzetta à cette période (la seconde moitié des années 1730) est caractérisé par une palette claire et une grande fraîcheur d'exécution, en de larges coups de pinceau qui soulignent la luminosité des carnations. Giovan Battista Tiepolo est l'auteur d'une petite toile représentant les *Tentations de saint Antoine*, une œuvre de jeunesse où se manifestent ces effets de clair-obscur typiques de la formation de l'artiste. Giovan Battista Pittoni est quant à lui représenté par une petite toile, *Hamilcar faisant jurer à Hannibal haine aux Romains*, qui faisait partie d'une série inspirée par Tite-Live à présent dispersée.

Outre les tableaux à thèmes historiques, mythologiques ou religieux, une intéressante production de scènes de genre s'affirma à Venise, avec son principal représentant Pietro Longhi, et une autre, tout aussi intéressante, connue sous le nom de *vedute*, terme désignant des vues en perspective de la ville de Venise. Brera possède des œuvres de quelques-uns des plus prestigieux auteurs de *vedute* tels que Canaletto, Bellotto et Guardi. Deux tableaux emblématiques de Canaletto, typiques de cet artiste, semblent avoir contribué à la naissance du "mythe" de Venise, ville immortelle dont la lumière (utilisée par le peintre comme un instrument pour rendre la réalité) souligne la pureté raréfiée. Bernardo Bellotto, dont nous pouvons admirer deux vues de la Gazzada, un village des environs de Varèse, prête lui aussi une grande attention aux effets atmosphériques. Mais par rapport à Canaletto, son oncle et son maître, il privilégie des lumières plus froides et des couleurs plus intenses et soigne jusqu'au plus petit détail.

Dans le couloir :
Nicolas de Largillière
(Paris 1656-1746)
Portrait de dame
Peinture à l'huile sur toile,
82x65 cm
Achetée en 1911.

Giovan Battista Pittoni
(Venise, 1687-1767)
Hamilcar faisant jurer à Hannibal haine aux Romains
Peinture à l'huile sur toile,
41x72 cm
Achetée en 1913.

Giovan Battista Pittoni
Bacchus et Ariane
Peinture à l'huile sur toile,
70x50 cm
Achetée en 1955.

Pietro Falca, dit Pietro Longhi
(Venise 1702-1785)
L'arracheur de dents
Peinture à l'huile sur toile,
50x62 cm
Signée. Achetée en 1911.

Rosalba Carriera
(Venise 1670-1758)
Portrait d'homme
Pastel, 47x42 cm

Pietro Longhi
Concert en famille
Peinture à l'huile sur toile,
50x62 cm
Achetée en 1911.

Bernardo Bellotto
(Venise 1720 - Varsovie 1780)
Vue de la Gazzada
Peinture à l'huile sur toile,
64,5x98,5 cm
Achetée en 1831.

Giovanni Antonio Canal, dit Canaletto
(Venise 1697-1768)
Vue du bassin de Saint-Marc
Peinture à l'huile sur toile,
53x70 cm
A Brera depuis 1928.

Giovan Battista Piazzetta
(Venise 1683-1754)
Rébecca au puits
Peinture à l'huile sur toile,
102x137 cm
A Brera depuis 1916, legs d'Emilio Treves.

Canaletto
Vue du Grand Canal
Peinture à l'huile sur toile,
53x70 cm
A Brera depuis 1928.

Bernardo Bellotto
Vue de la Gazzada
Peinture à l'huile sur toile,
64,5x98,5 cm
Achetée en 1831.
Ce tableau, avec l'autre qui est exposé dans cette salle, est un des chefs-d'œuvres de Bellotto. Tous deux furent peints lors du bref séjour que l'artiste fit en Italie (1744-47) avant de partir définitivement pour Dresde.

Francesco Guardi
(Venise 1712-1793)
Vue du Grand Canal vers Santa Chiara
Peinture à l'huile sur toile,
56x75 cm
A Brera depuis 1855, legs de Pietro Oggioni.

Francesco Zugno
(Venise 1709-1787)
Portrait de jeune chanteur
Peinture à l'huile sur toile,
45x38 cm
Achetée en 1932, provenant de la collection du prince Giovannelli à Venise.

Francesco Guardi
Vue du Grand Canal vers le Rialto
Peinture à l'huile sur toile,
56x75 cm
A Brera depuis 1855, legs de Pietro Oggioni.

Giovan Battista Tiepolo
(Venise 1696 - Madrid 1770)
Les tentations de saint Antoine
Peinture à l'huile sur toile,
40x47 cm
A Brera depuis 1929.

Gian Domenico Tiepolo
(Venise 1727-1804)
La bataille
Peinture à l'huile sur toile,
52x70 cm
A Brera depuis 1855, legs de Pietro Oggioni.

Dans le couloir :
Giovan Domenico Ferretti
(Florence 1692-1768)
Autoportrait
Peinture à l'huile sur toile,
110x85 cm
A Brera depuis 1811.

Bernardo Bellotto, *Vue de la Gazzada.*

En haut : Canaletto, *Vue du bassin de Saint-Marc.*

Bernardo Bellotto, *Vue de la Gazzada.*

En haut : Francesco Guardi, *Vue du Grand Canal vers le Rialto*.

Pietro Longhi, *L'arracheur de dents.*

En haut à gauche : Rosalba Carriera, *Portrait d'homme.*

En haut à droite : Nicolas de Largillière, *Portrait de dame.*

Giovan Battista Piazzetta, *Rébecca au puits.*

Giovan Battista Tiepolo, *Les tentations de saint Antoine.*

Salle XXXVI

Dans cette salle se trouve une série de tableaux, pour la plupart de petit format, représentatifs de certains secteurs particuliers de la production artistique du XVIIIe italien. Ce que l'on appelle peinture de genre est par exemple représenté par des tableaux tels que le *Petit porteur au panier* et le *Petit porteur assis* de Giacomo Ceruti, connu sous le surnom de Pitocchetto (en italien *pitocco* veut dire gueux, mendiant) pour sa propension à représenter le petit peuple, avec une grande objectivité et une extrême simplicité descriptive. Ces deux tableaux se faisant pendant, qui comptent parmi les plus significatifs de la production de cet artiste originaire de Brescia, sont datables vers le milieu des années 1730.
On retrouve le même thème, mais interprété dans un esprit différent, avec *La vieille femme et le gamin des rues* du Napolitain Gaspare Traversi, lequel aimait à décrire ses personnages avec une veine réaliste et une grande attention pour les caractères, souvent très chargés.
Un autre artiste qui peignit souvent des scènes de la vie quotidienne, non seulement dans ses tableaux de genre mais aussi dans ses réalisations à sujet religieux, est le Bolonais Giuseppe Maria Crespi. On voit ici la *Foire avec l'arracheur de dents* (très semblable à la toile sur le même sujet conservée aux Offices), qui atteste fort bien le style du maître, caractérisé par des coups de pinceau denses et une propension à des scènes très mouvementées.
La production de portraits au XVIIIe siècle est illustrée par plusieurs toiles, dont le *Portrait de gentilhomme* de Vittore Ghislandi, dit Fra Galgario, et le *Portrait du père de l'artiste* de Pietro Ligari.

Giuseppe Maria Crespi, *Une foire.*

Pietro Ligari
(Sondrio 1686-1752)
Portrait du père de l'artiste
Peinture à l'huile sur toile, 98x70 cm.
Don d'Angelo Ligari (1831).

Vittore Ghislandi, dit Fra Galgario
(Bergame 1655-1747)
Portrait du peintre
Peinture à l'huile sur toile, 75x60 cm. A Brera depuis 1813.

Gaspare Traversi
(Naples 1732 env. - Rome 1769)
La vieille femme et le gamin des rues
Peinture à l'huile sur toile, 80x105 cm. Achetée en 1938.

Giacomo Ceruti, dit il Pitocchetto
(Brescia 1698-1767)
Portrait d'homme
Peinture à l'huile sur toile, 72x53 cm. A Brera depuis 1872.

Giacomo Ceruti
Petit porteur assis
Peinture à l'huile sur toile, 130x91 cm. Donnée à Brera en 1966.

Giacomo Ceruti
Nature morte
Peinture à l'huile sur toile, 43x59 cm. Achetée en 1802.

Vittore Ghislandi
Portrait de gentilhomme
Peinture à l'huile sur toile, 127x98 cm. Achetée en 1918.

Giacomo Ceruti
Nature morte : fruits
Peinture à l'huile sur toile, 43x59 cm. Achetée en 1802.

Giacomo Ceruti
Petit porteur avec un panier derrière le dos
Peinture à l'huile sur toile, 130x95 cm.
Donnée à Brera en 1966.

Giuseppe Maria Crespi
(Bologne 1665-1747)
Autoportrait
Peinture à l'huile sur toile, 42x30 cm
Achetée en 1914 à la collection Benigno Crespi.

Giuseppe Maria Crespi
Une foire
Peinture à l'huile sur toile, 76x84 cm.
Achetée en 1916.

Giovan Battista Piazzetta
(Venise 1683-1754)
Vieillard en prière
Peinture à l'huile sur toile, 46x37 cm. Achetée en 1908.

Anton Raphael Mengs,
Portrait du chanteur Domenico Annibali.

En haut à droite :
Vittore Ghislandi,
Portrait de gentilhomme.

Ci-contre : Pietro Ligari,
Portrait du père de l'artiste.

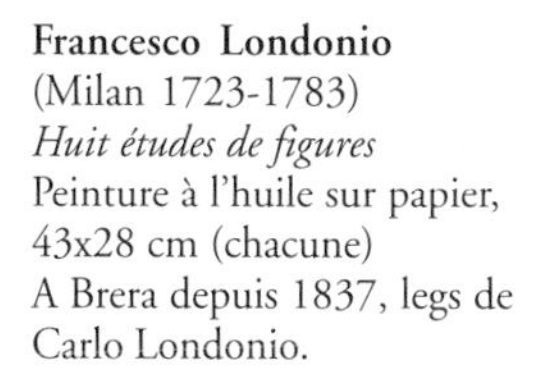

Francesco Londonio
(Milan 1723-1783)
Huit études de figures
Peinture à l'huile sur papier,
43x28 cm (chacune)
A Brera depuis 1837, legs de
Carlo Londonio.

Dans le couloir :
Anton Raphael Mengs
(Aussig 1728 - Rome 1779)
Portrait du chanteur Domenico Annibali
Peinture à l'huile sur toile,
125x95 cm
Signée et datée 1750. Achetée
en 1837.

Dans le couloir :
Joshua Reynolds
(Plympton 1723 - Londres 1792)
Portrait de Lord Donoughmore
Peinture à l'huile sur toile,
100x126 cm
Achetée en 1933.

Giacomo Ceruti, *Petit porteur avec un panier derrière le dos.*

SALLES XXXVII ET XXXVIII

Dans les dernières salles de la pinacothèque sont exposés des tableaux du XIXe.
Andrea Appiani, l'un des principaux représentants du néoclassicisme italien, est l'auteur du bel *Olympe*, dans lequel une certaine froideur académique est indicative d'une phase avancée de son activité. L'un des tableaux les plus célèbres est sans doute *Le Baiser* de Francesco Hayez, une œuvre dans laquelle confluent les principales composantes de ce chef de file du romantisme lombard, à savoir le "vénétisme" - entendu comme une réinterprétation d'artistes du XVIe tels que Titien et Savoldo - et l'abstraction issue du purisme. Ce même artiste est l'auteur de plusieurs portraits, un genre dans lequel il se montra particulièrement habile, comme le célèbre *Portrait d'Alessandro Manzoni* et celui de la *Famille Stampa Soncino*, ou encore la toile représentant *Les derniers instants du doge Martin Faliero*, une œuvre dans laquelle le drame personnel de ce personnage historique est rendu avec une grande intensité psychologique.
Giovanni Fattori, un artiste qui fait partie, bien qu'avec un certain détachement, du milieu des Macchiaioli, est représenté ici par le *Chariot rouge* (1887), une œuvre vigoureuse construite avec peu d'éléments et qui, loin de la peinture pleine d'emphase du Risorgimento, parle d'un monde simple et quotidien cher à ce peintre.
Silvestro Lega, un autre membre du courant des Macchiaioli, est l'auteur de *La Tonnelle*, une œuvre qui célèbre les idéals de vie retirée de la bourgeoisie toscane, à travers l'immédiateté et la vérité des personnages et une composition simple et rigoureuse.
Le mouvement divisionniste est représenté en revanche par les *Pâturages au printemps* de Giovanni Segantini, une œuvre dans laquelle cet artiste semble déjà s'orienter vers des thèmes symbolistes, tendant à la stylisation. Ce tableau se distingue cependant par une grande luminosité et, surtout, par un étalement filamenteux de la couleur.
Dans la salle XXXVIII, on peut voir la grande *Fiumana* de Giuseppe Pellizza da Volpedo, clairement liée aux intérêts sociaux de l'artiste : ce tableau, après une longue élaboration, fut laissé inachevé par l'artiste, qui reprit le même thème dans le *Quatrième état* de la Galerie d'Art moderne de Milan.
Parmi les artistes du XXe, on ne trouve ici que l'*Autoportrait* du peintre futuriste Umberto Boccioni, dans lequel les zones périphériques de la ville à l'arrière-plan semblent annoncer des tableaux tels que la *Ville qui monte*.

SALLE XXXVII

Martin Knoller
(Steinach 1725 - Milan 1804)
Autoportrait
Peinture à l'huile sur toile, 97x75 cm
Signée et datée 1803. Donnée à Brera en 1806.

Andrea Appiani
(Milan 1754-1817)
Autoportrait
Peinture à l'huile sur bois, 19x15 cm
Don du gouverneur de Lombardie (1823).

Giuseppe Bossi
(Busto Arsizio 1777 - Milan 1817)
Autoportrait
Peinture à l'huile sur bois, 38x30 cm
A Brera depuis 1841, legs de Gaetano Cattaneo.

Giuliano Traballesi
(Florence 1727 - Milan 1812)
Autoportrait
Peinture à l'huile sur toile, 73x95 cm
A Brera depuis 1806.

Andrea Appiani
L'Olympe
Peinture à l'huile sur toile, 45x136 cm
Achetée en 1848.

Thomas Lawrence
(Bristol 1769 - Londres 1830)
Portrait d'Antonio Canova
Peinture à l'huile sur toile, 46x36 cm
Achetée en 1873.

Domenico Aspari
(Milan 1745-1831)
Autoportrait
Peinture à l'huile sur toile, 98x74 cm
Exécutée et donnée en 1805.

Francesco Hayez
(Venise 1791 - Milan 1882)
Portrait de la famille Stampa Soncino
Peinture à l'huile sur toile, 125x108 cm
A Brera depuis 1900, legs de Stefano Stampa.

Marco Gozzi
(San Giovanni Bianco, Bergame, 1759 - Bergame 1839)
Paysage de Valsesia
Peinture à l'huile sur toile, 80x57 cm
A Brera depuis 1818.

Pierre Paul Prud'hon
(Cluny 1758 - Paris 1823)
Portrait du comte Giovan Battista Sommariva
Peinture à l'huile sur toile, 210x156 cm
A Brera depuis 1873.

Francesco Hayez
Marie Stuart recevant l'annonce de sa mort
Peinture sur bois, 45x58 cm
Signée et datée 1827.

Federico Faruffini
(Sesto San Giovanni 1831 - Pérouse 1869)
Sordel et Cunizza
Peinture à l'huile sur toile, 85x116 cm
Achetée en 1865.

Francesco Hayez
Le Baiser
Peinture à l'huile sur toile, 112x90 cm
A Brera depuis 1886, legs d'Alfonso Maria Visconti.
Ce tableau fut exposé pour la première fois à Brera en 1859 et il eut un tel succès que l'artiste dut en faire plusieurs versions. Le message d'amour individuel et patriotique que transmet l'œuvre en fit un sujet fort aimé et recherché à un moment particulier de l'histoire d'Italie, alors au seuil de l'Unité.

Francesco Hayez
Portrait de Teresa Borri Stampa

Andrea Appiani, *L'Olympe*.

Peinture à l'huile sur toile, 117x92 cm
Signée et datée 1849. A Brera depuis 1900, legs Stampa.

Francesco Hayez
Fleurs
Peinture à l'huile sur toile, 124x95 cm
A Brera depuis 1883, legs de l'artiste.

Francesco Hayez
Les derniers instants du doge Marin Faliero
Peinture à l'huile sur toile, 238x192 cm
Signée et datée 1867. Donnée en 1867 par l'artiste à l'Académie de Brera.

Francesco Hayez
Portrait d'Alessandro Manzoni
Peinture à l'huile sur toile, 118x92 cm
A Brera depuis 1900, legs Stampa.

Francesco Hayez
La Mélancolie
Peinture à l'huile sur toile, 138x101 cm
A Brera depuis 1889, legs de Filippo Ala Ponzoni.

Giovanni Segantini
(Arco di Trento, 1858 - Schafberg 1899)
Pâturages au printemps
Peinture à l'huile sur toile, 98x155 cm
Signée et datée 1896. Don des Amis de Brera (1957).

Federico Zandomeneghi
(Venise 1841 - Paris 1917)
La Boucle
Peinture à l'huile sur toile, 79x47 cm
En dépôt de la Galerie municipale d'Art moderne de Milan depuis 1950.

Filippo Carcano
(Milan 1840-1914)
La partie de billard
Peinture à l'huile sur toile, 76x108 cm
Signée. Achetée en 1867.

Giovanni Fattori
(Livourne 1825 - Florence 1908)
Le Chariot rouge
Peinture à l'huile sur toile, 88x179 cm
Signée. A Brera depuis 1937, provenant de la collection Gualino de Turin.

Silvestro Lega
(Modigliana, Forlì, 1826 - Florence 1895)
La Tonnelle
Peinture à l'huile sur toile, 72x92 cm
Signée et datée 1868. Don des Amis de Brera (1931).

Giovanni Estienne
(Florence 1840 - après 1892)
Le troisième concours national de tir à Florence
Peinture à l'huile sur toile, 56x46 cm
Don de Paolo Stramezzi (1951).

Giovanni Fattori
Le prince Amédée blessé à Custoza
Peinture à l'huile sur toile, 100x265 cm
Achetée en 1872 à l'Exposition nationale des Beaux-Arts de Milan.

SALLE XXXVIII

Giuseppe Pellizza da Volpedo
(Volpedo, Alexandrie, 1868-1907)
La Fiumana
Peinture à l'huile sur toile, 241x427 cm
Donnée en 1986.
Cette grande toile, peinte entre 1895 et 1897 et qui fut précédée d'une série d'ébauches, de dessins et de cartons réunis sous le titre *Ambassadeurs de la renommée* (1891-1894), marque un moment fondamental de l'activité de l'artiste, qui réussit à donner une dimension artistique aux idéaux humanitaires et aux élans progressistes présents dans la culture de la fin du XIXe. Le thème de la lutte des classes et de l'émancipation des travailleurs, ébauché dans la *Fiumana*, est repris et développé de manière définitive dans le *Quatrième état* (1898-1901) de la Galerie municipale d'Art moderne de Milan.

Umberto Boccioni
(Reggio Calabria 1882 - Vérone 1916)
Autoportrait
Peinture à l'huile sur toile, 110x80 cm
Signée et datée 1908. Donnée à Brera en 1951.

Francesco Hayez, *Les derniers instants du doge Marin Faliero.*

Francesco Hayez, *Portraits de Teresa Borri Stampa et d'Alessandro Manzoni.*

Francesco Hayez, *Fleurs.*

Francesco Hayez, *Le Baiser*.

Giovanni Fattori, *Le Chariot rouge*.

En haut : Silvestro Lega, *La Tonnelle*.

Giovanni Estienne, *Le troisième concours national de tir à Florence.*
Federico Zandomeneghi, *La Boucle.*

Umberto Boccioni, *Autoportrait*.

En haut : Giuseppe Pellizza da Volpedo, *La Fiumana*.

La collection Jesi

L'importante collection d'Emilio et Maria Jesi, fort représentative du collectionnisme des années 1930-1940, fut donnée à la Pinacothèque de Brera en 1976. Cette première donation, qui comprenait 56 œuvres, fut suivie en 1984 d'une deuxième, de 16 œuvres ; ces deux donations furent faites par Maria Jesi à la mémoire de son mari et pour répondre à un désir précis de celui-ci.

Grâce à cela, la pinacothèque possède de nos jours une collection d'art moderne de haute qualité, provisoirement exposée dans un couloir au début du parcours de la visite dans l'attente d'un emplacement digne d'elle. La collection Jesi compte en effet des tableaux d'artistes italiens actifs en particulier entre 1910 et 1940, ainsi que des œuvres d'importants artistes de renommée internationale comme Picasso, Braque, Bonnard, Severini et Modigliani. Amedeo Modigliani est l'auteur du *Portrait de jeune fille*, peint en 1915, et l'activité de Gino Severini est illustrée par les toiles *Nord-Sud* (1912), *Nature morte avec citrouille* (1917), *Nature morte au compotier* (1918).

Le mouvement futuriste, avec sa foi dans le progrès et son exaltation de la frénésie de la vie moderne, est documenté par la célèbre toile *Bagarre dans une galerie*, peinte par Umberto Boccioni en 1911, et par l'étude d'une autre célèbre toile, *La ville qui monte* (1910-1911), conservée au Museum of Modern Art de New York (MOMA). La phase futuriste de Carlo Carrà est illustrée par le tableau *Rythmes d'objets*, exécuté en 1911.

La peinture métaphysique, avec son intérêt pour l'irrationnel, l'élaboration formelle des objets d'usage courant et sa prédilection pour l'hermétisme, est représentée par *Mère et fils*, la *Muse métaphysique* et la *Chambre enchantée* de Carrà.

De Giorgio Morandi on peut en revanche admirer plusieurs *Natures mortes* typiques du style extrêmement personnel de cet artiste.

La collection Jesi compte en outre des tableaux d'artistes de l'École Romaine, du mouvement dit "Novecento" et d'autres courants du début de ce siècle.

La collection comprend également une intéressante série de tableaux de Morandi (*Fleurs roses et bleues*, 1916 ; *Nature morte*, 1921) et de De Pisis (*Nature morte aux œufs*, 1924 ; *Poissons sacrés*, 1925 ; *Vue de Paris*).

Elle possède également d'intéressantes sculptures. Medardo Rosso, un important artiste italien de la seconde moitié du XIXe, est l'auteur de trois cires (*La petite rieuse, L'enfant juif, La femme à la voilette*) représentatives des tentatives de fusion atmosphériques de ce sculpteur.

D'Arturo Martini, l'un des plus importants sculpteurs de la première moitié du XXe siècle, la collection compte des œuvres très caractéristiques comme *Le buveur*, et le sculpteur et peintre Marino Marini, qui travailla souvent sur commission des Jesi, est l'auteur de *Pomone allongée* et du monumental bronze *Le miracle. Cheval et cavalier.*

Umberto Boccioni, *La ville qui monte.*

Umberto Boccioni, *Bagarre dans une galerie.*

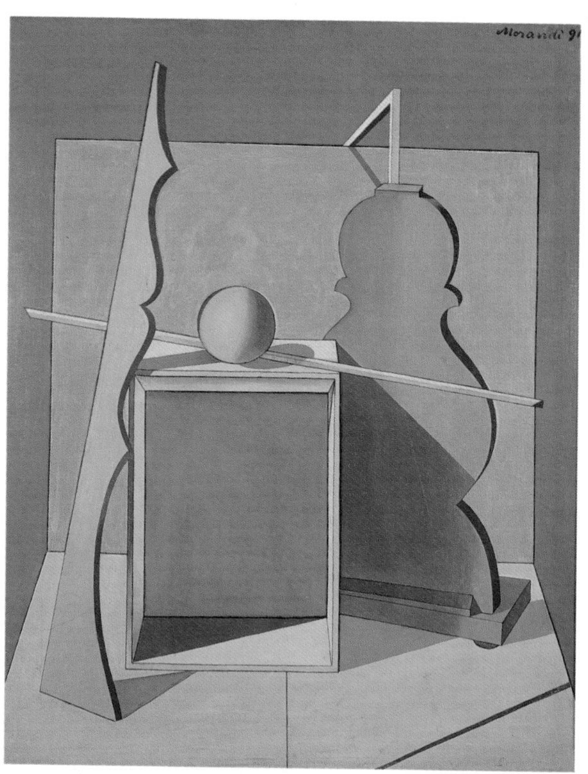

Gino Severini, *Nord-Sud.*

En haut à gauche : Mario Sironi, *La lampe.*

En haut à droite: Giorgio Morandi, *Nature morte métaphysique avec équerre.*

Carlo Carrà, *La Muse métaphysique*.

Index des artistes

Traduction : Laura Meijer
Photographies : Archives SCALA (R. Bencini, M. Falsini,
U. Marzani, M. Sarri)
Printed by: "Arti Grafiche" Stampa Nazionale, Calenzano (Florence), 2003